Cœur de vampire

Du même auteur, dans la même collection :

La drôle de vie d'Archie
La dragonne de minuit
Scoops au lycée

Du même auteur, en Heure noire :

Le fantôme de Sarah Fisher
Murder party

Agnès Laroche

Illustrations de Peggy Caramel

Cœur de vampire

RAGEOT

Pour Léo.

Cet ouvrage a été imprimé sur un papier
issu de forêts gérées durablement,
de sources contrôlées.

Couverture : Peggy Caramel.

ISBN : 978-2-7002-3936-2
ISSN : 1951-5758

UN CŒUR SUR LA VITRE

Je traçais du bout du doigt un cœur sur la vitre embuée lorsque ma mère a fait irruption dans le salon. Elle s'est plantée à côté de moi en brandissant son portable.

— Ils m'ont appelée, tu te rends compte ? Ils m'ont appelée !

Je me suis vite adossée à la fenêtre pour cacher le cœur.

— Qui ça ?

— Les gens de l'agence d'intérim ! Ils me proposent un contrat de six mois ! Oh là là, j'ai hâte de l'annoncer à ton père...

Là, normalement, j'aurais dû hululer de joie mais un fâcheux pressentiment m'en a empêchée.

– Tu commences quand? ai-je demandé, soupçonneuse.

– Dans une semaine, le 2 juillet, à la clinique Sainte-Croix. J'analyserai les prélèvements sanguins des malades. Ce soir, champagne!

Non, pour moi, ce sera un grand verre de jus de groseille sans sucre, merci.

J'ai posé les mains sur mes hanches, j'ai levé le menton et, plus impériale que Cléopâtre, j'ai lâché :

– Le 2 juillet, c'est le premier jour des vacances. Si je comprends bien, je resterai seule tout l'été pendant que papa et toi travaillerez, super!

Elle s'est figée, prise de court.

– Oh, chaton, je suis désolée.

Chaton, tu parles!

À cet instant, j'aurais adoré avoir des chaussures à talons. J'aurais quitté la pièce en les faisant claquer sur le carrelage. Malheureusement, j'étais en tongs.

J'ai filé dans ma chambre et j'ai envoyé valdinguer ma poubelle d'un coup de pied rageur. Restes de viande desséchés et gras de jambon se sont mollement répandus par terre. J'ai failli les piétiner mais j'ai résisté à la tentation. La corvée de nettoyage, sans façon !

Maman s'est arrêtée sur le seuil, prudente. Un pas de plus et elle risquait l'accident, le gras de jambon ça ne pardonne pas.

– Lalie, ne t'inquiète pas, il est hors de question que tu passes tes journées livrée à toi-même. On va en discuter avec papa et on trouvera une solution, je te le promets.

Je n'ai pas daigné répondre et elle a regagné le salon.

Les vacances à la maison avec ma mère, je les attendais avec impatience. Enfin l'occasion de vivre à notre rythme.

Veiller une bonne partie de la nuit, dormir jusqu'à cinq heures de l'après-midi, nous balader en douce dans les catacombes, puis télé et Wii, bouquins et farniente, au choix et à volonté…

Sans compter que j'aurais largement eu le temps de me consacrer à mon projet secret, celui que j'avais dessiné, en forme de cœur, sur la vitre du salon.

À la place de ce programme de rêve, mes parents allaient envisager une « solution ». Rien que d'y penser, j'ai frissonné.

J'ai attrapé mon journal et j'ai noté :

« Vendredi 22 juin, 17 h 30.

Grandes vacances : ça sent le moisi ! »

JOYEUSE TRIBU

Mon père est rentré à 19 heures. Dix secondes après, il a poussé un cri de joie aussitôt suivi de chuchotements interminables.

Je me suis avancée en chaussettes et sur la pointe des pieds le plus près possible de l'entrée et j'ai entendu :

– Elle… ment… déçue… fini… tête.

Traduction simultanée :

« Elle est tellement déçue qu'elle n'a pas fini de nous faire la tête. »

Bien vu.

– La… ion… idéale… envoyer… tribu… copines.

Et voilà, j'en étais sûre ! Ils comptaient m'envoyer au camp Joyeuse Tribu, où d'après eux je retrouverais la plupart de mes copines.

Cette colo, mon père s'efforce de me la vendre depuis trois ans, toujours avec les mêmes arguments :

– Tu seras parmi les nôtres, quasiment en famille ! Et puis la plupart de tes amies y vont, non ?

Comme je ne réponds jamais, il ajoute avec perfidie :

– Ta mère et moi y sommes allés cinq ans de suite. D'ailleurs, nous nous sommes connus là-bas…

Là, généralement, je reste muette, le regard fixe, alors il conclut :

– Tu ne sais pas ce que tu perds !

Non, et je n'ai absolument aucune envie de le découvrir !

Ils se sont dirigés vers le salon, main dans la main, et j'ai battu en retraite, le moral à hauteur de la moquette.

Joyeuse Tribu !

Ce nom débile me donne la chair de poule. Quant à retrouver mes soi-disant copines, ces faces de lune qui s'habillent en noir et qui sont si fières d'appartenir à notre grande famille, non merci.

Pas question de me laisser faire, je lutterai jusqu'au bout !

« Vendredi 22 juin, 19 h 20.

Joyeuse Tribu : jamais de la vie ! »

NOTRE GRANDE FAMILLE

Mon père m'a tendu sa flûte de champagne. Je mourais d'envie d'y tremper mes lèvres, mais je lui ai fait le coup du mépris, j'ai haussé les épaules en regardant ailleurs. Il a dégusté quelques gorgées et, enfin, il s'est lancé.

– Mon petit bouchon, tu es déçue, c'est normal. Cela dit, ta mère cherche du travail depuis des mois, elle ne peut pas négliger une opportunité pareille.

Il a agité le bol de cubes de magret cru sous mon nez, tentative de corruption caractérisée. Je n'ai pas bronché.

– Papi et mamie ont prévu un trekking en Transylvanie, ils ne peuvent pas t'accueillir, a-t-il ajouté. Quant à mes parents, tu sais comme nous qu'ils n'aiment pas qu'on trouble leur quiétude.

Nous nous sommes installés à table et ma mère a apporté mon plat préféré, entrecôte-pommes dauphine. Papa a repris, guilleret :

– Nous avons donc décidé de t'inscrire à Joyeuse Tribu. Cela ne te tente pas, toutefois nous n'avons pas le choix. Tu vas adorer, je te le garantis ! Les enfants de tous nos amis s'y retrouvent chaque été, ainsi que pas mal d'élèves de ton collège sans oublier tes cousins, les jumeaux.

J'ai pris le temps de mâcher une délicieuse bouchée de viande. J'ai avalé et j'ai lâché :

– Je n'irai pas.

J'ai attrapé le flacon posé à côté de mon assiette, puis j'ai dégainé l'arme fatale :

– Si vous m'y envoyez de force, je ne prendrai pas mes gélules.

Ils se sont dévisagés, stupéfaits.

– Lalie, a blêmi ma mère, tu sais quelles seraient les conséquences d'un tel acte, n'est-ce pas ?

J'ai acquiescé en disposant les pommes dauphine en cercle sur le bord de mon assiette. En effet, je n'ignorais rien de ces redoutables conséquences, même si je ne les avais jamais testées : au début, une grosse fatigue et, après deux jours, une furieuse envie de planter mes dents dans le cou de mes semblables afin d'étancher ma soif.

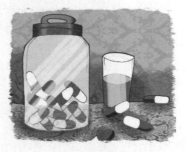

Mon père a respiré très fort, sans doute pour se contraindre au calme.

– Je ne te comprends pas !

J'ai bu un peu d'eau et je me suis lancée.

– Je refuse de rester deux mois au milieu de ces dingues. Je supporte déjà les élèves de ma classe toute l'année, leurs histoires macabres, leurs ongles taillés en griffes et leurs fringues d'outre-tombe, alors pendant les vacances, pitié !

– Chérie, a murmuré maman, il y aura d'autres jeunes de ton âge, sans compter tes cousins…

– Les cousins? Ils sont tarés, complètement tarés! Ils se baladent avec un cercueil en pendentif, ils se maquillent les paupières en noir histoire de paraître encore plus pâles, ils font sans arrêt semblant de mordre les filles, et puis quoi encore? Des vrais malades!

Papa s'est levé brusquement en jetant sa serviette par terre.

– Ça suffit! Tu parles de notre famille, je te le rappelle!

Au mot « famille », j'ai perdu mon sang-froid. Je me suis mise debout moi aussi et j'ai crié :

– Justement! Notre famille, notre grande famille, j'en ai marre, c'est pire qu'une secte! Je veux fréquenter des gens normaux, qui ne se gavent pas de gélules, qui pensent à autre chose qu'à des histoires morbides, qui connaissent d'autres couleurs que le rouge et le noir… De toute façon j'en ai ras-le-bol d'être un vampire!

Je me suis écroulée sur ma chaise, des larmes plein les yeux.

Je songeais à ce garçon super mignon qui avait emménagé à Pâques dans l'immeuble d'en face, et pour qui je dessinais sans qu'il le sache des cœurs sur la vitre.

Il n'est pas des nôtres, ses joues roses en attestent. Si je passais l'été à la maison, on ferait peut-être connaissance. On se plairait, on tomberait follement amoureux et il presserait doucement ses lèvres contre les miennes.

Toutes les filles de ma classe avaient déjà embrassé un garçon, sauf moi. Ça ne pouvait pas durer et je comptais bien remédier à cette pénible situation avant la rentrée. À une condition cependant. Pas question d'échanger mon premier baiser avec un vampire. Mon prince charmant serait un Sang-Vif, un humain ordinaire, ou ne serait pas !

J'ai soupiré, découragée. Je n'avais pas la moindre chance de rencontrer l'élu de mon cœur à Joyeuse Tribu, au beau milieu d'un troupeau de débiles sanguinaires !

FOLKLORE ET SOLUTION

Ma mère a tapoté ma main.

– Lalie, moi aussi, à douze ans…

– Et demi, ai-je murmuré.

– Oui, tu as raison, douze ans et demi. Moi aussi, à ton âge, j'ai connu des moments de révolte. J'aurais voulu avoir la peau moins pâle, être moins fatiguée durant la journée, moins en forme la nuit, ne pas me faire limer les canines, ne pas sentir ce grand creux dans le ventre quand je n'avais pas eu ma ration quotidienne de viande ou quand j'avais oublié mes gélules, fréquenter des gens ordinaires sans devoir leur cacher ma nature…

Mon père a posé le plateau de fromage sur la table et maman a poursuivi :

– On en passe tous par là, mon cœur. Crois-moi, mieux vaut accepter ta condition que de t'y opposer. Vampire tu es, vampire tu resteras, et cela ne comporte pas que des inconvénients.

J'ai soulevé un sourcil sceptique et elle m'a souri.

– Songe à la solidarité extraordinaire de notre famille, par exemple. Dès que l'un d'entre nous est en difficulté, où qu'il soit, nous nous mobilisons afin de l'aider. Pense à ta capacité de résistance hors norme, à ta longévité, à tes sens affûtés à l'extrême... Quant au reste, les cercueils, les vêtements noirs, les gousses d'ail, les crucifix, l'immortalité, c'est du folklore.

Je me suis servi une tranche de gruyère – mes sens affûtés à l'extrême me conseillaient d'éviter le camembert coulant – et j'ai rétorqué :

– Et les Affamés ? C'est du folklore ?

Mes parents ont échangé un regard rapide.

– Ils représentent une infime minorité d'entre nous, a affirmé maman. Des extrémistes qui n'appliquent pas nos règles de modération, qui refusent nos gélules de substituts sanguins, qui attaquent parfois les Sang-Vif…

– Pas seulement ! l'ai-je coupée.

Petit toussotement gêné, puis elle a ajouté :

– Oui, c'est vrai, ils s'en prennent parfois aux autres vampires. Cela dit, tout est fait pour mettre fin à leurs agissements. Tu sais que notre peuple a créé une brigade spéciale à cet effet, les Contre-Sang, qui se charge de les débusquer dans le monde entier.

Elle a froncé le nez et déclaré d'un ton définitif :

– Quoi qu'il en soit, c'est sans rapport avec tes vacances.

– En effet ! a appuyé mon père. Tu ne cours pas le moindre risque de croiser un Affamé parmi nos amis de Joyeuse Tribu, je te le garantis ! C'est d'accord, je t'inscris, ma chérie ?

Du bout de l'ongle, j'ai tapoté mon flacon de gélules.

– Je veux bien partir en colo, mais pas dans un repaire de vampires. Les batailles de boulettes de viande, très peu pour moi.

Ma mère a secoué la tête, l'air las.

– Lalie, tu es trop jeune pour te mêler de si près aux Sang-Vif, tu te trahirais à la première occasion. Non, je suis désolée, c'est impossible.

J'ai soufflé en levant les yeux au ciel.

– Puisque c'est comme ça, je n'irai nulle part.

Papa, la bouche grande ouverte, s'est arrêté de respirer avant d'exploser :

– À ton âge, on ne discute pas ! Nous n'avons rien de mieux à te proposer. Ta mère a trouvé du travail, j'ai de nombreux déplacements prévus, nous ne pourrons pas nous occuper de toi, donc tu vas…

Il s'est arrêté net.

– À moins que…

Il a adressé un sourire entendu à ma mère.

– J'ai peut-être une idée. Mais pas de caprice ! Tu t'engages dès maintenant à accepter sans discuter cette solution, sinon je t'inscris immédiatement à Joyeuse Tribu.

J'ai marmonné :

– Tu penses à quoi, exactement ?

– Tss-tss-tss, en ce qui concerne les détails, on verra plus tard. Alors, ta réponse ?

– Alors oui, bien obligée, ai-je consenti du bout des lèvres.

Une fois au lit, j'ai écrit au feutre rouge : « Vendredi 22 juin, 21 h 45.

Et s'il existait des vacances pires que Joyeuse Tribu ? »

UN TROU PERDU

Les jours suivants, dès que j'essayais d'en savoir plus, j'avais droit à une remarque énigmatique.

Mon père, les mains dans l'eau de vaisselle :

— Encore quelques détails à régler, deux trois appels…

Ma mère, devant la télé, captivée par un nouvel épisode de *Vampires en eaux troubles*, sa série préférée :

— Un peu de patience, tout vient à point à qui sait attendre…

Mon père, en vidant ses gélules dans un verre de vin :

— La réponse ne devrait plus tarder.

Ma mère, sourcils froncés devant un nouveau cœur tracé sur la vitre du salon :

— Chaque expérience est bonne à prendre !

Et bla-bla-bla.

Samedi, dimanche, lundi, mardi, mercredi, j'ai largement eu le temps de me demander si je n'avais pas fait une horrible bêtise en refusant de m'inscrire à Joyeuse Tribu.

Le jeudi soir, j'en ai eu le cœur net.

Non, ce n'était pas juste une horrible bêtise, mais la pire erreur de mon existence.

J'étais couchée, prête à raconter ma morne vie dans mon journal, lorsque mes parents sont entrés dans ma chambre.

— Mon bichon, a commencé papa, voici ce que nous avons prévu.

Il s'est tourné vers maman, qui a poursuivi :

— Tu vas partir chez la cousine Constance, elle a pu se libérer.

J'ai écarquillé les yeux. La cousine Constance ? Jamais entendu parler d'elle.

– C'est une vieille tante à moi, a repris mon père, elle vit à la campagne, à Célestin, un adorable village du nord de la France. Elle a notre confiance, elle adore les enfants et elle est très heureuse de t'accueillir. Quand j'étais petit, j'allais souvent chez elle et…

J'ai crié :

– Stop ! C'est une blague ?

Ils se sont regardés, interloqués.

– Une blague ? Non, pourquoi ? s'est étonnée ma mère.

– Je vais passer deux mois dans un trou perdu en tête-à-tête avec une mémé que je ne connais pas ?

– Oui, sauf si finalement tu préfères un séjour à Joyeuse Tribu, ont-ils répliqué en chœur, la mine réjouie.

À croire qu'ils avaient répété leur numéro !

– Départ lundi, au train de 8 h 20, a précisé papa. Et il ne s'agit pas d'un trou perdu, c'est un endroit où nombre d'entre nous ont des résidences secondaires, je suis persuadé que tu te feras des amis…

Et voilà, c'était reparti ! Des amis vampires, bien sûr !

J'ai rabattu la couette par-dessus ma tête et ils se sont éclipsés sur un « bonne nuit ! » jovial.

Célestin, un adorable village du nord de la France… J'avais autant de chances d'y rencontrer le Sang-Vif de mes rêves que d'y croiser le président des États-Unis !

J'ai balancé mon journal par terre, je n'avais plus le courage d'écrire le moindre mot après un coup pareil.

ADIEU
BEL INCONNU

Le lundi matin à l'aube, après une nuit peuplée de cauchemars dans lesquels une vieille femme se ruait sur moi, tous crocs dehors, en hurlant « Bienvenue à Célestin ! », je me suis levée sans entrain.

La mort dans l'âme, j'ai vérifié le contenu de mon sac à dos. Ma mère y avait glissé ma ration quotidienne de gélules, et même un peu plus au cas où. Elle m'avait aussi offert un flacon de Miss Diaphane, mon eau de toilette préférée, et un énorme paquet de caramels.

J'ai récapitulé :

≺ Fringues moches qui ne risquent rien : OK.

≺ Vieilles baskets et bottes en caoutchouc : OK.

≺ Journal intime, carnet de croquis, crayons et feutres : OK.

≺ Bouquins épais comme ça, destinés aux journées mortelles : OK.

≺ Radio afin de rester en contact avec le monde extérieur : OK.

≺ MP3 pour m'évader en musique : OK.

J'étais parée pour un long mois d'ennui en tête-à-tête avec mémé Constance.

Papa m'a appelée :

– Lalie, tu es prête ? C'est l'heure !

J'ai soupiré et je me suis traînée jusqu'à la cuisine. Maman m'a ouvert grands les bras.

– Je ne peux pas vous accompagner, alors je te souhaite de très belles vacances, mon poussin.

J'ai haussé les épaules et j'ai enfoui mon nez dans son gilet. Elle m'a chuchoté à l'oreille :

– Tu sais, moi aussi, j'avais très envie de rester ici avec toi.

J'ai murmuré :

– Bon courage pour ton nouveau travail.

Elle m'a embrassée fort, les yeux brillants.

Cinq minutes plus tard, papa et moi roulions en direction de la gare du Nord.

En montant en voiture, j'avais jeté un dernier regard à l'immeuble d'en face, en traçant un cœur imaginaire à l'intention de ce Sang-Vif qui ne savait pas que j'existais.

Adieu bel inconnu !

Dans le wagon, mon père m'a fait mille recommandations, puis il m'a serrée contre lui.

– Tu vas adorer Constance. Et l'été prochain, promis, on part tous les trois.

Il m'a caressé la joue.

– Je t'appelle dès ce soir et je te promets qu'on viendra bientôt passer un week-end à Célestin, OK ?

– OK.

Il s'est dépêché de descendre du wagon, les portes se sont refermées et le train a démarré.

DANGER PUBLIC

Trois heures après je posais le pied sur le quai de la gare de Célestin, un bâtiment minuscule planté au milieu de nulle part, en rase campagne.

J'ai regardé autour de moi, une main en visière. Personne ! Avec un peu de chance, mémé Constance avait eu un accident… L'une de ses amies allait débouler et m'annoncer que ma cousine avait glissé dans la boue de l'enclos des cochons, ou au beau milieu d'une flaque de purin devant l'écurie. Elle s'était cassé les deux chevilles et non, vraiment, elle ne pouvait pas m'accueillir.

Je n'avais plus qu'à rentrer à la maison. Peut-être que les inscriptions pour Joyeuse Tribu seraient closes et...

– Lalie ?

Je me suis retournée. Devant moi, une vieille dame au visage couronné de cheveux blancs, vêtue d'une salopette en jean délavé et de Converse violettes, me dévisageait en souriant. Ma cousine, sur ses deux jambes. La poisse !

– Bonjour, a-t-elle poursuivi, je suis ravie de te rencontrer.

Pas moi. Je suis restée muette et elle a repris gaiement :

– Allons-y mon petit !

Je l'ai suivie en traînant des pieds jusqu'à une rue étroite bordée de platanes, sans doute l'artère principale de Célestin.

Elle s'est tournée vers moi.

– Ma voiture est là.

Ce qu'elle appelait pompeusement sa « voiture » n'était qu'une voiturette minuscule et cabossée. J'ai fait la moue et elle a précisé :

– Ce n'est pas faute d'avoir essayé mais je ne suis jamais parvenue à obtenir le permis.

Hyper rassurant !

J'ai eu toutes les peines du monde à introduire mon sac à dos à l'intérieur du mini-coffre, puis je me suis affalée sur le siège du passager en soupirant bruyamment.

– C'est loin ? ai-je demandé.

– Non, penses-tu, cinq minutes maximum et encore, en lambinant.

Cinq minutes à bord d'un cercueil ambulant, c'était bien assez !

Elle s'est engagée sur la route à la vitesse d'un escargot à l'agonie, en me posant des questions en rafale.

– Tes parents sont en forme ?

– Oui.

– Ton papa voyage toujours autant ?

– Toujours.

– Contente d'être en vacances ?

– Hum.

– Alors la sixième, pas trop dur ?

– Pas trop.

Elle a renoncé à l'interrogatoire et s'est branchée sur l'option guide touristique.

— Les magasins sont sur la place de l'église, boulangerie, boucherie, supérette, c'est là que je fais mes courses. J'habite un peu à l'écart, cela dit je ne suis pas isolée, j'ai de nombreux voisins. On a un terrain de foot à proximité, une rivière et…

Et patati et patata. Tous les véhicules nous dépassaient, même les vélos. Après deux ou trois kilomètres en ligne droite, elle a baissé sa vitre et elle a tendu son bras à l'extérieur en agitant la main.

— Le clignotant est cassé, m'a-t-elle expliqué.

Elle a bifurqué brusquement à gauche, sous le nez d'une camionnette qui arrivait en face. Tétanisée, j'ai fermé les yeux dans l'attente du choc mais heureusement le conducteur a freiné à temps, sans oublier de klaxonner.

— On est presque arrivées, s'est réjouie ma conductrice.

Je l'ai dévisagée et, à sa mine sereine, j'ai compris qu'elle ne s'était rendu compte de rien. Un authentique danger public !

Quelques centaines de mètres plus loin, elle s'est arrêtée net devant un haut portail. Elle a sorti un boîtier sur lequel elle a appuyé en murmurant :

– Magie-magie…

Les battants se sont ouverts lentement et j'ai découvert une fermette grise plantée au milieu d'une cour gravillonnée. Pas d'arbres, pas de fleurs, juste quatre murs et un toit moussu. Hyper moche !

J'ai aussitôt songé à cette photo prise en Moldavie que ma mère m'avait montrée un jour, sur laquelle on voyait les ruines de la maison sinistre dans laquelle avait vécu mon arrière-arrière-arrière-arrière-grand-père. Un type louche qui, paraît-il, sortait à la nuit tombée pour égorger des moutons et se repaître de leur sang. La rumeur disait qu'il s'en prenait aussi aux enfants lorsque la lune était rousse.

J'ai frissonné et ma cousine s'est exclamée, radieuse :

– Bienvenue chez moi, tu verras c'est tranquille !

Ça, je n'en doutais pas !

SI JE T'ATTRAPE, JE TE MORDS

J'ai pénétré à l'intérieur de la maison à petits pas, méfiante.

– Tu as soif? ai-je entendu.

Je n'ai pas répondu, trop occupée à me demander si je ne rêvais pas.

Devant moi, une vaste pièce aux murs en pierres apparentes. Au sol, un parquet blond couvert de tapis bariolés. Sur la droite, un bureau équipé d'un ordinateur avec écran géant et imprimante. Au fond, une cheminée garnie de bûches, à côté de laquelle trônait un home cinéma, face à un canapé et deux fauteuils avachis.

WAOUH.

– Viens t'asseoir par là, Lalie.

Par là, c'était la cuisine. Pas de table, un large bar entouré de tabourets haut perchés, une gazinière vitrifiée – le rêve de ma mère – et un frigo américain avec distributeur de glaçons – mon rêve.

RE-WAOUH.

Je me suis assise et ma cousine m'a offert un verre de jus de viande glacé.

– Ça te plaît ? s'est-elle enquise.

J'étais bien obligée de reconnaître que c'était mille fois mieux que ce à quoi je m'attendais. J'ai murmuré :

– Oui, le frigo, les tapis, la télé, l'ordi…

Elle a laissé fuser un rire délicat, l'air enchanté.

– Ta chambre est au premier. Autrefois, c'était celle de mon fils Arthur. Ton père y a souvent séjourné, ainsi que d'autres enfants de la famille. Tu y trouveras certainement des bricoles qui te plairont.

J'ai esquissé un sourire. Contre toute attente, je sentais que j'allais adorer cet endroit.

– Et Arthur, il vit où maintenant ? ai-je questionné.

Une ombre est passée sur son visage.

– Il est… Il n'est plus parmi nous. Un accident, il y a fort longtemps.

Elle a secoué la tête et a changé de sujet.

– Derrière la maison il y a une grange remplie de bric-à-brac. Des cercueils en pagaille, des faux squelettes, des capes noires, des crucifix, des chauves-souris empaillées, des fausses canines…

– Euh, vous savez, moi, franchement, ce genre de trucs…

– Tu ne vas pas me vouvoyer, s'est-elle exclamée, ni m'appeler mémé ou tatie ! Moi, c'est Constance, et tu me tutoies ! Alors comme ça, tu n'aimes pas jouer à Dracula ? Ni à Si je t'attrape je te mords ? Ou à loup-sang ?

– Non.

J'ai vu une lueur de surprise dans son regard, mais elle n'a pas insisté.

– À dire vrai, a-t-elle repris gentiment, j'aurai assez peu de temps à te consacrer. J'ai de multiples activités, tu sais ce qu'on dit, les retraités sont toujours débordés ! En revanche, si tu te promènes du côté du terrain de foot, je suis sûre que tu te feras des amis. Il y a pas mal de jeunes qui viennent en vacances ici l'été.

J'ai haussé les épaules. Des jeunes pour jouer à Si je t'attrape je te mords, et puis quoi encore?

– Pas seulement des vampires, a-t-elle précisé, même si nous sommes nombreux dans les parages. Sache que c'est ici que le comte Petrescu s'est réfugié, au XVIIe siècle, quand le duc Vladirovich l'a chassé de Roumanie pour le punir d'avoir séduit sa fille, promise à un autre. Il a vite été rejoint par ses pairs et ils ont fondé une communauté dont, forcément, il reste des traces. Ce village est le berceau d'une partie de nos ancêtres et à ce titre…

Petrescu et compagnie, je m'en fichais complètement. Elle l'a compris et elle a changé de sujet.

– Tiens, ces derniers jours j'ai aperçu un garçon inconnu longer le sentier qui descend à l'étang. Il portait une canne à pêche, donc il mange peut-être du poisson.

Yes ! S'il mangeait du poisson, ce n'était pas un vampire mais un Sang-Vif, un garçon normal.

Excellente nouvelle ! J'en aurais presque embrassé mémé Constance, euh, pardon, Constance.

RÊVE IMPOSSIBLE

Ma chambre occupait le premier étage, sous les toits. Une moquette épaisse, un lit deux places, des fleurs fraîches, des BD à profusion, un gros sac de bonbons sur le bureau, des gadgets rigolos…

J'ai frissonné de plaisir en songeant à l'abominable dortoir de Joyeuse Tribu auquel j'échappais !

J'ai rangé mes habits dans le placard vide, puis je suis restée en arrêt devant un cadre posé sur une étagère. Il était garni de photos sur lesquelles figurait un petit garçon qui grandissait de cliché en cliché, jusqu'à devenir un homme. Sans doute Arthur, mon cousin inconnu. Le cœur serré, je me suis demandé ce qui avait bien pu lui arriver.

Je me suis allongée sur le lit. Des capes et des dents de vampires phosphorescentes étaient collées au plafond, elles me tiendraient compagnie en cas d'insomnie.

Du bout des dents, j'ai rongé les peaux qui entouraient l'ongle de mon index puis j'ai léché les gouttelettes de sang qui affleuraient, une gourmandise à laquelle je ne résiste pas. J'ai repensé au garçon dont Constance m'avait parlé et j'ai laissé mon imagination partir au grand galop sur un cheval fougueux.

Et si…

Oui, et si c'était mon voisin d'en face, comme par hasard en vacances au même endroit que moi?

Et si lui aussi m'avait remarquée, le matin, quand j'attendais le bus?

Et si lui aussi avait attendu avec impatience le mois de juillet pour me rencontrer avant d'apprendre, au comble du désespoir, que ses parents l'envoyaient chez une mémé, au milieu de nulle part?

Et si tout à l'heure, en me voyant emprunter le chemin qui mène à l'étang pour le rejoindre, il se levait en bousculant seau et canne à pêche, totalement bouleversé à ma vue?

Et si on se mettait à courir au ralenti, cheveux au vent, et qu'on tombe dans les bras l'un de l'autre?

– Lalie, à table.

Fin du film, atterrissage brutal!

EMPLOI DU TEMPS

Nous nous sommes partagé un rôti de bœuf et un gratin d'épinards que j'ai saupoudré du contenu de mes gélules. Délicieux.

– Si tu as encore un petit creux, je peux te préparer un steak tartare, m'a proposé Constance.

J'ai hésité, et puis non, mieux valait garder de la place pour le clafoutis qui trônait sur le bar.

Constance avait noué sur sa salopette un tablier orné d'une énorme chauve-souris aux dents pointues.

Assise devant moi, elle a mangé de bon appétit en m'expliquant de sa voix douce que je pourrais m'organiser comme je l'entendais. À une exception près :

– Tu ne te coucheras pas après minuit, et tu te lèveras avant 10 h 30.

J'ai esquissé une moue déçue. Les vacances, c'est le seul moment de l'année où j'ai l'occasion de suivre mon rythme naturel, celui qui nous permet, à nous autres vampires, d'être en forme : coucher à 7 heures du matin, lever à 15 heures.

Constance m'a tapoté la main.

– Je ne veux pas t'embêter, Lalie, mais je préfère ne pas attirer l'attention du voisinage. Nous sommes nombreux dans les parages, d'accord, cependant il y a aussi des Sang-Vif, inutile qu'ils s'interrogent à notre sujet, n'est-ce pas ? Nous ne sommes pas à Paris, les gens sont curieux par ici.

J'ai levé les yeux au ciel.

– Pfff, quand je veux me comporter en vampire, on m'en empêche, et quand je veux vivre normalement, on me prie de ne pas oublier que je suis un vampire. Faudrait savoir !

– Vivre normalement… comme un Sang-Vif ? s'est-elle étonnée.

– Le rêve ! Pas de gélules, un teint de rose, aucune baisse d'énergie pendant la journée, des menus variés, des dents de taille normale…

En débarrassant le couvert, elle a égrainé une liste à sa façon :

– La vue basse, l'ouïe défaillante, le vieillissement rapide, le chacun pour soi. Les Sang-Vif ont leurs problèmes, eux aussi.

J'ai haussé les épaules. Elle a posé les assiettes au bord de l'évier, et elle a murmuré :

– C'est drôle, mon Arthur tenait les mêmes propos que toi.

Elle s'est retournée, et j'ai cru voir des larmes briller au coin de ses paupières. Je brûlais d'en apprendre davantage sur mon cousin, mais je n'ai pas osé poser de questions embarrassantes.

– Une dernière chose, a ajouté Constance, je préférerais que tu ne sortes pas après la tombée de la nuit. Ces derniers temps, on a découvert au petit matin des cadavres d'animaux dans les alentours. Vidés de leur sang.

J'ai esquissé une grimace dégoûtée. Sans me laisser le temps de l'interroger, ma cousine a poursuivi, de nouveau enjouée :

– Tu as des projets pour cet après-midi ?

J'ai répondu, faussement décontractée :

– Oh, je ne sais pas, peut-être un tour au bord de l'étang.

– C'est à peine plus loin sur la gauche, un endroit charmant. De mon côté, un peu de gym pour démarrer, puis je m'attellerai à ma correspondance, j'ai une tonne de mails en retard !

Elle a lavé la vaisselle en chantonnant, je l'ai aidée à la ranger et je suis montée me changer. En ouvrant les portes de mon placard, j'ai regretté amèrement de n'avoir apporté que des vêtements moches, anciens et dépareillés.

J'ai jeté mon dévolu sur un tee-shirt violet – avec un trou énorme sous le bras, mais si je faisais attention, ça ne se voyait pas – et un jean que j'avais coupé pour en faire un short. À moins d'y regarder de très près, on pouvait croire que je l'avais acheté en l'état.

Je me suis plantée face au miroir en me pinçant les joues pour les voir rosir. Peine perdue, pâle j'étais, pâle je resterais !

Mes cheveux noirs n'arrangeaient rien. J'ai tenté de les remonter en chignon, mais ça me donnait un faux air de Mlle Popesco, ma prof d'histoire et littérature vampiriques, une matière que je déteste. Non, la seule chose qui me plaisait vraiment chez moi, c'était la couleur de mes prunelles, brun clair tirant sur le jaune, « caramel à la vanille », d'après papa.

Je me suis adressé un clin d'œil d'encouragement, je me suis aspergée de Miss Diaphane et j'ai dévalé l'escalier.

UNE ENQUÊTE TOUT EN FINESSE

J'ai pris la direction de l'étang en récitant machinalement les règles qu'on nous martèle à la moindre occasion, du CP à la terminale.

1) Les Sang-Vif doivent tout ignorer de notre existence, la survie de notre peuple est à ce prix.

2) En présence d'un Sang-Vif, paraître en forme le jour, fatigué le soir.

3) Ne jamais mentionner notre appétit pour la viande, toujours en laisser un peu dans l'assiette.

4) Prétendre que nos gélules sont des vitamines.

5) Si nécessaire, justifier notre pâleur en prétextant une anémie passagère.

6) Ne rien laisser entrevoir de nos capacités physiques, ouïe, vue et résistance.

7) À partir de cinquante ans, penser à…

Non, celle-là je n'en avais pas besoin.

J'ai froncé les sourcils.

Ma principale difficulté, ce n'est pas le respect de ces règles, quasi inscrites dans mes gènes, mais de savoir différencier un Sang-Vif d'un vampire. Ma mère me répète qu'en grandissant mes sens s'affineront et qu'instinctivement, d'un seul coup d'œil, je saurai à qui j'ai affaire. Sauf que je grandis et que mon instinct tarde à pointer le bout de son nez.

Il me faudrait donc mener une enquête subtile afin de découvrir si le pêcheur était l'un des nôtres ou non. Les premiers indices seraient faciles à recueillir, son teint et son prénom par exemple – nous portons pour la plupart des prénoms anciens, c'est une tradition chez nous. Quant au reste, je procéderais avec une extrême prudence, à base de questions discrètes.

J'ai accéléré le pas. Pourvu que le garçon repéré par Constance soit là, pourvu que ce soit un Sang-Vif, pourvu qu'il ne repère pas le trou sous mon bras, pourvu qu'il me plaise…

J'ai tourné à gauche et je me suis engagée sur un sentier bordé de noisetiers, très pentu. Grâce à mes yeux perçants, j'ai aperçu en bas l'eau de l'étang qui scintillait, les araignées qui glissaient à sa surface et une nuée de moucherons minuscules. Juste devant, une silhouette assise, casquette vissée sur la tête.

J'ai souri. Le pêcheur était là, qui m'attendait et ne le savait pas !

VAMPIRE OR NOT VAMPIRE ?

J'ai longé le chemin jusqu'en bas. Le garçon ne s'est pas retourné, il n'avait donc pas l'ouïe très développée, ce qui était plutôt bon signe !

L'étang était couvert de nénuphars en fleur et de lentilles d'eau. Je me suis arrêtée à deux pas du pêcheur. Il n'a pas bronché et j'ai toussoté discrètement.

Il a lâché un « pfff ! » courroucé.

Je n'allais pas renoncer pour si peu. Je me suis assise en tailleur à côté de lui. J'ai observé son profil et, sous le coup de la surprise, j'ai ouvert grand la bouche.

Il avait les yeux en amande et la peau dorée. Peut-être qu'il ne parlait pas français. J'ai toussoté et il a ronchonné un truc incompréhensible. En quelle langue allais-je bien pouvoir m'adresser à lui ? En anglais ? Hum, pas la peine d'y penser. Non, le plus simple, ce serait de communiquer par gestes.

Je lui ai tapoté l'épaule, j'ai tiré sur une canne à pêche imaginaire, feint de décrocher un poisson d'un hameçon et de m'en régaler en mâchant bruyamment tout en me tapant sur le ventre.

C'est un test imparable : pour rien au monde un Vampire n'avalerait une bouchée de poisson, à moins d'avoir une énorme envie de se retrouver aux urgences, victime d'un eczéma géant et d'une inoubliable crise d'asthme.

Il m'a toisée, l'air aussi dégoûté que si j'étais une crotte de poule sur sa chaussure.

– T'es dingue ou quoi ?

Avant d'ajouter :

– T'es muette ?

– Non... Si... C'est juste que... Enfin, je croyais que...

Il m'a coupée :

– Si tu veux de la compagnie, t'as qu'à aller au terrain de foot.

Ce n'était pas le coup de foudre !

– Désolée, j'ai pensé que... que tu étais étranger et que tu ne parlais pas français.

– Ben si.

Voilà, voilà. Je me suis raclé la gorge, j'ai cueilli trois pâquerettes, puis :

– Je m'appelle Lalie, et toi ?

– Kazuhiko. Kaz, si tu préfères. C'est japonais.

Hum, j'étais bien avancée. J'ai suivi une libellule des yeux et j'ai demandé à mi-voix, pour ne pas le brusquer :

– Les poissons, tu les manges ?

Il a secoué la tête.

D'un ton dégagé, j'ai insisté :

– Pourquoi ? Tu n'aimes pas ça ?

Il a serré les mâchoires, agacé au plus haut point.

– Parce que je respecte la nature ! La pêche est un sport, pas une tuerie. Mes prises, je les photographie, je les mesure, je note leur dimension sur mon carnet et je les relâche. T'es contente ?

Contente ? Non, pas tant qu'il me manquerait la réponse à LA question : vampire or not vampire ?

J'ai avancé un nouveau pion, l'air de rien.

– Sinon, manger du poisson quand ce n'est pas toi qui l'as pêché, ça te gêne ?

Il a soupiré.

– Des poissons, tu viens d'en faire fuir trois !

– Comment tu le sais ?

– Parce que je les ai entendus déguerpir ! Et remballe tes questions idiotes. Non, je ne mange pas de poisson, oui, je suis un vampire, et toi aussi !

DÉCEPTION

Je suis restée bouche bée, à le regarder fixement.

– Mais que… Mais comment tu sais que… ai-je fini par bredouiller.

Il a soupiré.

– L'instinct… En plus tu poses des questions débiles pour savoir si je mange du poisson, tu es aussi blanche qu'un verre de lait, tu portes un prénom pas possible et tes canines sont mal limées, il y en a une qui est moins arrondie que l'autre. Ça te suffit?

Mes canines, mal limées? N'importe quoi!

Je l'ai observé attentivement, sur mes gardes, et j'ai murmuré :

– Et toi, qu'est-ce qui me prouve que...?

Il a sorti une boîte de gélules de son sac à dos et l'a secouée façon maracas.

– Tu me crois maintenant?

Hélas, oui.

Il faisait partie de notre chère grande famille. Pfff, quelle déception!

Pourtant autant me l'avouer, il était bien plus beau que mon voisin d'en face. Contrairement aux garçons de ma classe, il n'était pas habillé en noir et il était capable d'aligner trois phrases sans prononcer les mots sang ou cercueil. Un exploit. Sans compter sa voix, légèrement cassée, craquante.

N'empêche, embrasser un vampire, aussi mignon soit-il, jamais de la vie!

– Tu es en vacances ici? ai-je chuchoté, soucieuse de ne pas déranger les carpes et les barbeaux.

Il m'a répondu avec la mine résignée de celui dont la tranquillité vient de s'enfuir au loin.

– Oui, on loue une maison. Et toi?

– Je passe l'été chez une cousine qui habite au bout du sentier, sur la droite.

Il a froncé le nez en scrutant la surface lisse de l'étang à peine troublée par les moustiques qui s'y abreuvaient.

– Les poissons ne sont pas près de revenir, a-t-il remarqué d'un ton chagrin.

Il a ramassé un caillou plat, l'a tendu devant lui, puis l'a lancé avec une rapidité fulgurante. Sept ricochets ! Je me suis levée dans l'espoir de l'imiter mais ma pierre a fait plouf, une seule fois, avant de couler.

Kaz a éclaté de rire en silence. Ses yeux se sont plissés jusqu'à former une fente, deux fossettes se sont creusées au milieu de ses joues et il a renversé la tête en arrière.

– C'est bon, les ricochets ça marche pas à tous les coups, ai-je fini par lâcher.

– Non, ce qui est drôle, c'est le trou.

– Le trou ?

– Oui, sous ton bras.

J'ai baissé la tête, mortifiée.

Mon tee-shirt venait de gagner un aller simple pour la poubelle, et moi le prix de la fille la plus mal fagotée de Célestin.

Kaz a repris son sérieux et s'est étiré en bâillant.

– Je rentre. J'ai toujours sommeil à cette heure-ci, je vais dormir un peu.

– Tu reviens demain ? ai-je demandé.

Il a acquiescé, en me jetant un coup d'œil en coin.

– Oui, et toi ?

J'ai fait semblant de réfléchir.

– Hum, pourquoi pas…

On s'est quittés en haut du chemin et j'ai filé, pressée d'observer mes canines dans la glace !

DÉCOUVERTE MACABRE

Constance m'avait préparé des brochettes de canard cru pour le goûter. Délicieux. Je les ai dégustées en la regardant taper sur son clavier avec ardeur.

— Ces associations, tu n'imagines pas l'énergie que ça exige, a-t-elle soupiré.

Elle s'est tournée vers moi.

— Dès que j'ai terminé, on va se promener, d'accord ?

J'ai grimacé :

— En voiture ?

— Non, à pied !

Mouais… J'ai hoché la tête sans conviction et je suis montée dans ma chambre.

Là, bouche écartelée devant le miroir, j'ai scruté mes canines. Kaz n'y connaissait rien, elles étaient parfaites, de la même taille et « limées en un arrondi très délicat », dixit mon dentiste.

Rassurée, je me suis allongée, paupières closes. J'ai tenté de penser à mon voisin parisien mais pfuit, il s'était évanoui, loin des yeux, loin du cœur. J'allais m'assoupir quand Constance a crié :

– Lalie, on part en balade !

J'ai failli hurler : « Laisse-moi dormir ! »

Comment pourrai-je toute ma vie durant supporter la sensation d'être en plein décalage horaire ?

Ma cousine avançait à petits pas, saluant gentiment les promeneurs qu'on croisait. Après quelques centaines de mètres, elle s'est penchée sur le bas-côté :

– Tiens, qu'est-ce que je te disais !

Au fond d'un fossé herbeux gisait le corps sans vie d'un chat.

– Pauvre bête ! a murmuré Constance.

Elle a attrapé un bâton, elle a retourné le cadavre, puis elle s'est agenouillée pour l'examiner sous toutes les coutures.

– Il ne contient plus une goutte de sang, cela ne fait aucun doute.

– Il a été vampirisé ? ai-je demandé, incrédule.

Elle s'est relevée en acquiesçant, l'air contrarié.

– C'est une pratique que je pensais disparue mais il faut croire que des petits malins la remettent au goût du jour. Cela ne me plaît guère. S'abreuver de sang animal ou de sang humain, je ne vois guère de différence, c'est contraire à nos règles.

J'ai fixé un moment le pelage gris taché de sang, imaginant un individu s'approcher sans bruit du chat, l'attraper et lui planter violemment ses canines dans le cou, jusqu'à ce que mort s'ensuive. Célestin, un petit village tranquille ? Tu parles !

– Qui peut bien faire une chose pareille ? ai-je murmuré, pas très rassurée.

Elle a fait la moue.

– Je l'ignore. Bah, n'y pensons plus. Si tu veux, on peut passer par le cimetière, des lignées entières de vampires y sont enterrées. Ton père adorait déchiffrer leurs noms sur les tombes quand il était jeune.

Débile comme occupation. Pas étonnant que papa se soit bien amusé à Joyeuse Tribu !

– Euh, non merci, sans façon.

– On arrive au terrain de foot, a enchaîné Constance qui ne se décourageait pas pour si peu. Parmi ces jeunes il y en a sûrement avec lesquels tu t'entendrais.

Près de nous, une bande de filles aux joues rouges et au sang vif, forcément. Dès qu'elles m'ont aperçue, elles se sont mises à chuchoter en ricanant. En me concentrant, j'aurais pu entendre ce qu'elles disaient, mais je savais d'avance que ça ne me plairait pas. Elles m'ont détaillée de haut en bas, hautaines, avant de reprendre leurs messes basses. Visiblement, mon vieux tee-shirt et mon jean coupé n'étaient pas à leur goût.

Je les ai toisées, histoire qu'elles ne devinent pas à quel point j'avais envie de leur ressembler, avec leur bonne mine et leur vie toute simple.

Un troupeau de garçons était assis dans l'herbe, à l'écart, écouteurs rivés aux oreilles. Ils ne m'ont prêté aucune attention. Je les ai observés un à un, côté beauté aucun n'arrivait à la cheville de Kaz.

J'ai murmuré :

– On continue ?

J'ai eu droit au grand tour. La place, son café, une chapelle en ruine, une maison d'hôtes aux volets rouges en face de laquelle j'ai cru qu'on allait prendre racine, le panorama, et un long chemin à travers bois pour rentrer.

Dans la soirée, après un interminable bain brûlant et un appel de mes parents (– Constance ? – Moui, elle est sympa. – La

maison ? – Moui, pas mal. – Des amis ?
– Moui, je ne sais pas.), j'ai enfin senti la
forme revenir. Comme par hasard, c'est à
ce moment-là que ma cousine a frappé dans
ses mains.

– Allez mademoiselle, il est l'heure de te
coucher !

Juste avant de me glisser sous la couette,
j'ai sorti mon journal.

« Lundi 2 juillet, 23 h 17.

Très cool : le pêcheur de l'étang a la peau
dorée et les yeux en amande. Hélas, trois
fois hélas, c'est un vampire !

Pas cool du tout : un tueur de chats rôde
à Célestin, il se nourrit de leur sang. »

CANNE À PÊCHE ET FOURMIS ROUGES

Le lendemain dès 14 heures, vêtue d'une vieille robe en toile prêtée par Constance et redevenue miraculeusement à la mode, j'étais devant l'étang.

Seule.

Et déçue.

J'ai attendu un bon quart d'heure en attrapant des dizaines de têtards avec mes mains. Ennui abyssal.

J'allais rentrer lorsque j'ai entendu des voix, en haut du sentier. Je me suis retournée. Kaz était là, accompagné d'une dame très pâle qui lui a souri en murmurant :

– Amuse-toi bien, mon chéri.

– OK maman.

La femme a poursuivi sa route. Avec sa peau blanche et ses yeux ronds, elle n'avait pas le moindre soupçon d'Asie dans les veines. Intéressant.

Il est descendu jusqu'à moi, et je l'ai trouvé aussi beau que la veille. Peut-être même plus. J'ai affiché la mine détachée de la fille qui est là par hasard, presque surprise d'avoir de la compagnie, et j'ai posé ma première question idiote :

– Tu vas pêcher ?

– À ton avis ?

Il a sorti d'un panier des boulettes rosâtres et là, j'ai tenté d'être drôle.

– C'est ton goûter ?

Très sérieusement, il m'a répondu :

– Non, ce sont des appâts. De la mie de pain trempée dans du jus de viande, mélangée à du son d'avoine pour solidifier. Les poissons adorent.

Le silence s'est installé. Pour meubler, j'ai lancé :

– Ça te dirait de venir goûter à la maison tout à l'heure ?

Il a semblé réfléchir, puis :

– Oui.

Deux secondes plus tard, il m'a proposé :

– Tu veux pêcher ?

Solennel, comme s'il m'initiait à un rituel sacré, il m'a expliqué comment procéder, geste par geste, et je me suis exécutée. Une fois ma ligne à l'eau, j'ai demandé :

– Et maintenant ?

– Maintenant, rien. Tu tends l'oreille et lorsque les poissons arrivent, tu remues légèrement ta canne. Si tu sens que ça mord, vite, tu la tires hors de l'eau.

Waouh. Palpitant.

On a patienté longtemps sans que frétille la queue d'un seul goujon.

– C'est un peu lassant, non ? ai-je remarqué.

– Non.

Il avait raison. Ce n'était pas lassant, c'était mortel. Mais curieusement, je me sentais bien, là, assise à côté de lui, une canne à pêche entre les doigts, à souffler sur les fourmis rouges qui défilaient sur ma robe.

Histoire de relancer la conversation, et surtout pour assouvir ma curiosité, je l'ai interrogé :

– Ton père est originaire d'Asie ?

Il m'a dévisagée longuement.

– Non. J'ai été adopté.

Je n'ai pas su quoi dire, j'ai juste fait « Oh ! » et il a repris, le regard rivé aux nénuphars en fleur :

– Mes parents sont morts quand j'avais cinq ans. La femme que tu as vue, c'est Marguerite, ma mère adoptive. Elle est venue me chercher au Japon avec Clovis, son mari, peu de temps après leur décès.

La bouche sèche, j'ai osé :

– Tes vrais parents ont eu un accident ?

Il a secoué la tête.

– Non. Ils ont été tués par des Affamés.

BÊTES FÉROCES

Mon cœur s'est serré tandis que Kaz poursuivait :

– Les Affamés ont attaqué mes parents un soir, dans le parking de notre immeuble. Ils m'ont laissé la vie sauve, il paraît qu'ils ne s'en prennent pas aux enfants. Avant de mourir, ma mère a prévenu les Contre-Sang avec son téléphone portable. Ils m'ont mis à l'abri, ils ont fait disparaître les corps pour ne pas alerter les Sang-Vif et ils ont pourchassé les coupables. Ils les ont capturés une semaine plus tard.

– Et toi? ai-je chuchoté.

– Je n'avais pas d'autre famille, alors ils ont déclenché la procédure d'adoption internationale, et j'ai été recueilli par Marguerite et Clovis.

La voix mal assurée, j'ai demandé :

– Tu... Tu t'en souviens?

– De façon très floue. Je sais qu'il y avait du sang partout, que j'avais peur, c'est tout. Le reste, on me l'a raconté.

J'ai entendu un frémissement derrière moi. Rien de bien méchant, un oiseau qui prenait son envol, mais j'ai sursauté.

– Tu sais pourquoi les Affamés s'en sont pris à tes parents?

Kaz a haussé les épaules.

– Pour s'approvisionner en sang frais. Ils agressent n'importe qui, de vraies bêtes féroces. Ils sont insatiables, sans morale, il leur en faut toujours plus, c'est comme une drogue.

J'ai pensé à ma mère. D'après elle, ces sauvages ne constituent qu'une infime minorité d'entre nous.

J'ai tenté :

– Enfin, ils ne sont pas très nombreux, si?

Il s'est exclamé, stupéfait :

– Tu veux rire ? Ils font de plus en plus d'adeptes, ils prétendent que les substituts sanguins sont dangereux, que nous devons retrouver une vie saine, dormir le jour, veiller la nuit… et surtout, nous gorger de sang humain afin de vivre toujours plus forts, toujours plus vieux. Ils sont partout, on ne sait jamais quand on va les croiser, ni quand ils vont nous sauter dessus.

– Même ici ?

– Partout, je te dis !

J'ai frissonné. Il exagérait sans doute, mais j'étais impressionnée… On est restés silencieux un moment puis, pour alléger l'atmosphère, j'ai lancé :

– J'ai une petite faim… Tu viens, on va goûter ?

Il a acquiescé, et on a rangé son équipement.

FLAGRANT DÉLIT

Avant d'entrer, j'ai regardé par la fenêtre du salon. Tiens, on avait de la visite. Une vieille femme inconnue était assise dans un fauteuil, face à la cheminée. Debout à ses côtés, Constance.

Soudain, ma cousine s'est penchée, elle a approché sa tête tout près du cou de son hôte. Qu'est-ce qu'elle fabriquait ? J'ai senti les ongles de Kaz s'enfoncer dans mon bras.

J'ai ouvert la bouche pour crier, mais il a posé son index sur mes lèvres.

– Chut, elles vont nous entendre, a-t-il articulé d'une voix à peine perceptible.

– Et alors ? ai-je rétorqué sur le même ton.

Il s'est tapoté les dents.

– Tu ne vois pas que celle qui a la jupe bleue est en train de mordre la Sang-Vif qui est assise ?

Mon cœur a fait un bond.

– La jupe bleue, c'est ma cousine, ai-je coassé.

J'ai repris mon observation, les mains moites, au moment où Constance se redressait avec vigueur.

Elle se tenait droite, le menton levé. Elle semblait rajeunie. Elle a aidé la vieille dame à se relever et elles se sont dirigées vers la porte.

– Oui, je crois que tu as raison, ai-je soufflé, horrifiée.

J'ai attrapé Kaz par la main et on a couru se cacher sur le côté de la maison.

Quand les deux femmes sont sorties sur le perron, j'ai risqué un coup d'œil discret. La visiteuse avait noué un foulard autour de son cou, sans doute pour masquer sa morsure.

Elle s'est éloignée à petits pas, et Constance est rentrée.

Mes jambes tremblaient, j'avais un goût âcre dans la bouche. Mes parents m'avaient envoyée en vacances chez une Affamée !

– Viens ! ai-je ordonné à Kaz en saisissant sa main.

On a contourné la bâtisse sur la pointe des pieds et on s'est réfugiés dans la grange, au beau milieu des cercueils poussiéreux et des capes noires recouvertes de toiles d'araignée qui faisaient jadis le bonheur de mon père.

L'endroit était lugubre, sans autre issue que la porte principale. J'avais peur que Constance ne nous ait entendus, qu'elle ne nous rejoigne et qu'elle ne se jette sur nous.

À L'ATTAQUE !

– On ne peut pas rester là, ai-je murmuré, la voix étranglée.

Kaz a refermé la porte, puis, très calme, le regard rivé sur moi, il a déclaré :

– T'inquiète. Elle ne s'est aperçue de rien, j'en suis sûr, sinon elle serait déjà là.

J'ai soupiré, à demi rassurée seulement.

– J'en ai ras-le-bol de notre grande famille. Il se passe des trucs sordides, sans arrêt, même quand on s'y attend le moins.

– Moi, c'est le contraire, j'en suis fier, a rétorqué Kaz. On ne renonce jamais, on est solidaires, on fait tout pour débusquer les traîtres et ceux qui ne jouent pas le jeu, comme…

– Comme Constance, ai-je complété sombrement.

Il a froncé les sourcils.

– Lalie, tu dois quitter cette maison le plus vite possible. Les Affamés sont sans pitié, tôt ou tard ta cousine s'en prendra à toi. Ils prétendent qu'ils ne touchent pas aux enfants, mais va savoir. Tu vis sous son toit, tu es la proie idéale !

Il avait raison.

Je m'imaginais mal me tenir sur mes gardes jour et nuit, trembler dès que Constance s'approcherait de moi et ne dormir que d'un œil de peur qu'elle profite de mon sommeil pour me vider entièrement de mon sang.

J'ai fait quelques pas pour essayer de me détendre et j'ai buté contre un cercueil beaucoup plus large et profond que les autres. Je me suis retournée.

– Il est bizarre celui-ci, non ?

Kaz m'a rejointe.

– C'est un vrai cercueil de vampire, m'a-t-il expliqué, de ceux dans lesquels nos ancêtres s'abritaient la nuit. Ils avaient besoin de place pour se retourner, s'asseoir...

J'ai hoché la tête distraitement.

– Bon, qu'est-ce que tu décides ? a-t-il repris.

Je n'avais pas le choix, je devais demander à mes parents de venir me chercher d'urgence. Oui, mais partir, c'était quitter Kaz et, bizarrement, cette idée me faisait mal au cœur. Pour une fois que j'avais un ami…

J'ai jeté un nouveau coup d'œil au grand cercueil, et une idée a jailli dans mon esprit. Puisque je devais quitter Célestin, autant que ce soit sur un coup d'éclat !

– Pas question de laisser ma cousine s'en tirer comme ça, il faut passer à l'attaque ! ai-je déclaré la voix vibrante d'excitation.

– C'est-à-dire ?

– On va capturer Constance et la livrer, pieds et mains liés, aux Contre-Sang.

Il m'a dévisagée, surpris.

– Alerter les Contre-Sang, c'est simple, mes parents ont un numéro à appeler en cas d'urgence. Par contre, capturer ta cousine, là, franchement, je ne vois pas.

– Moi si! me suis-je exclamée.

Je lui ai aussitôt exposé mon plan mais, à ma grande déception, il a secoué la tête.

– Non, trop dangereux.

J'ai murmuré :

– C'est dommage... On n'aura pas deux fois l'occasion de réaliser un exploit pareil. Tu te rends compte ? Démasquer une Affamée, faciliter la mission des Contre-Sang ? Toi et moi ? Ce serait dingue, non ?

J'ai senti qu'il hésitait, une lueur d'orgueil a traversé son regard et il m'a tendu la main.

– OK, ça marche!

AU FOND DU CERCUEIL

Cinq minutes après, j'ouvrais la porte de la maison à la volée en criant :

— Constance, viens vite ! Je jouais dans la grange avec le pêcheur et il est tombé dans le grand cercueil. Il s'est assommé, il ne bouge plus.

Elle a levé le nez de son journal, l'air plus inoffensif que jamais. Kaz avait raison, elle ne nous suspectait pas le moins du monde.

— Oh, le pauvre petit ! Pourvu que ce ne soit pas grave.

Je l'ai précédée à pas pressés et, feignant la panique, je me suis précipitée au-dessus du cercueil. Elle m'a aussitôt imitée.

Kaz a surgi derrière elle. Sans qu'elle ait le temps de réagir, en conjuguant nos forces on l'a fait basculer à l'intérieur, on a fermé le couvercle et on s'est assis dessus.

— Les enfants, a-t-elle crié, cessez ce jeu stupide et ouvrez-moi ! Je pourrais m'en charger moi-même mais je n'y tiens pas, vous risquez de tomber et de vous faire mal. Ouvrez-moi je vous dis !

— Ce n'est pas un jeu, Constance, ai-je déclaré. On sait qui tu es, on t'a prise en flagrant délit !

— C'est ridicule, a-t-elle rétorqué, je ne sais même pas de quoi vous parlez.

J'ai répondu du tac au tac.

— Tu ne sais peut-être pas de quoi on parle, mais tu sais planter tes crocs dans le cou des innocents ! Qu'est-ce que tu leur racontes pour qu'ils te laissent faire, hein ?

Le silence de nouveau, puis son rire délicat, presque un rire de jeune fille, a tinté.

— Mes crocs ? Vous me prenez pour une Affamée, c'est ça ?

Kaz a levé les yeux au ciel et j'ai répliqué :

— Tu es une Affamée. On t'a vu aspirer le sang de ton invitée.

– Une Affamée aux canines bien limées, a-t-elle remarqué, amusée.

Oui, c'est vrai, ses canines étaient limées et très courtes.

Elle a repris, d'une voix un peu fatiguée :

– Lalie, j'observais de près la blessure de cette femme, rien de plus.

– Sa blessure ?

– Oui, il semblerait qu'elle ait été attaquée, vous avez raison, mais pas par moi.

Kaz et moi nous sommes regardés, interdits.

Constance a poursuivi :

– Mon fils Arthur a été assassiné par des Affamés. Alors croyez-moi, je n'ai pas la moindre envie de m'associer à ces sauvages. Appelle ton père, Lalie, il te le confirmera.

Avant d'ajouter :

– Pendant que tu y es, demande-lui qui je suis vraiment.

– Qui tu es vraiment ? ai-je répété, intriguée.

– Je suis une Contre-Sang, mon petit.

OFFICIER 72 156

Kaz a secoué la tête, sourcils froncés.

— C'est un piège, a-t-il formé avec ses lèvres sans proférer le moindre son.

Puis il a lancé :

— Vous pouvez le prouver ?

— Oui, bien sûr, a soufflé Constance. J'ai un document qui en atteste. Vous le trouverez dans la cuisine, par terre, en soulevant le sixième carreau face au frigo.

— Je vais vérifier tout de suite, s'est exclamé Kaz.

Il a filé comme une flèche et j'ai demandé à Constance :

— Tu n'es pas à la retraite ?

– La retraite ? Tu n'y songes pas ! Je n'ai que soixante-dix-sept ans, c'est encore jeune pour un vampire. J'effectue toujours de nombreuses missions, d'ailleurs…

Elle n'a pas pu continuer, Kaz venait de nous rejoindre, les yeux brillants d'excitation.

– Regarde !

Il m'a tendu une carte rouge vif, entourée d'un liseré noir.

Nom : Nogent
Prénom : Constance
Grade : officier
Matricule : 72156

En dessous, la signature de ma cousine et le sceau à l'allure très officielle de la « Brigade Internationale des Contre-Sang ».

Le visage de Kaz resplendissait.

– Une Contre-Sang, tu te rends compte ?

Ce dont je me rendais compte, c'est que nous avions commis une terrible erreur judiciaire.

Nous nous sommes empressés de soulever le couvercle du cercueil. Constance s'en est extirpée avec agilité et j'ai bafouillé :

– Pardonne-nous... On a parlé des Affamés cet après-midi et quand on t'a vue te pencher sur cette femme, on a cru que tu la mordais.

Je me suis tue, horriblement gênée. Ma cousine nous a adressé un sourire lumineux.

– Les enfants, je vous félicite !

Elle avait l'air sincère. Je suis restée muette et Kaz s'est raclé la gorge.

– Oui, a-t-elle repris, bravo ! Vous avez mené votre affaire avec beaucoup d'efficacité, vous êtes vigilants et vous avez raison !

Elle s'est dirigée vers la porte, pleine d'allant, et s'est retournée.

– Ce grand cercueil est très confortable, mon père y a dormi pendant des années. Allez, venez, il faut qu'on discute !

Kaz et moi avons échangé un coup d'œil surpris, et on l'a suivie.

Une fois dehors, j'ai respiré à fond, soulagée. Plus question de rentrer à Paris !

SOUPÇONS

Nous nous sommes attablés face à une montagne de steak haché pour nous remettre de nos émotions.

Constance a vidé son assiette avec gourmandise en nous expliquant :

– Vois-tu Lalie, lorsque tes parents m'ont appelée, j'ai failli refuser de t'accueillir. J'avais une mission à effectuer en Suisse, une infirmière au comportement suspect à surveiller. Voilà pourquoi j'ai tardé à leur donner ma réponse. Cela dit, je ne regrette pas d'être restée ici, d'une part parce que tu es adorable, d'autre part parce que l'ennemi se cache parfois plus près qu'on ne le croit.

Kaz la buvait des yeux.

– Tu te souviens de la villa Carmin, a-t-elle continué, cette maison d'hôtes aux volets rouges devant laquelle nous avons fait halte hier ?

J'ai hoché la tête, impatiente de découvrir la suite.

– Elle est tenue par un couple de vampires, charmants à première vue, mais malheureusement je crains qu'ils ne soient pas aussi honnêtes qu'ils en ont l'air. Mon invitée de tout à l'heure séjourne chez eux depuis environ un mois. Nous nous sommes croisées à plusieurs reprises et nous avons sympathisé. Dernièrement, j'ai constaté qu'elle pâlissait de jour en jour, qu'elle avait les traits tirés, en un mot, qu'elle s'affaiblissait. Je l'ai conviée à prendre une tasse de thé pour en savoir plus.

Constance s'est interrompue pour se servir un verre de sang de génisse. J'avais beau détester ces histoires de vampires, j'étais suspendue à ses lèvres. Quant à Kaz, c'est à peine s'il respirait.

Elle s'est de nouveau hissée sur le tabouret, face à nous.

– Muguette – c'est son nom – arbore deux traces de piqûres à la base du cou. Elle pense avoir été piquée par un moustique, et c'est ce que j'essayais de déterminer lorsque vous nous avez vues.

– Mais, ai-je objecté, les Affamés ne préfèrent pas le sang des gens plus jeunes?

Constance a souri.

– Détrompe-toi! Les personnes âgées sont très recherchées, au contraire. L'effet obtenu est moins soudain mais plus durable.

– Nos canines doivent laisser des marques plus importantes que de simples piqûres d'insecte, non? a objecté Kaz.

– Oh, cela fait bien longtemps – cent cinquante ans environ – que les Affamés ont renoncé à mordre. D'ailleurs, à quelques exceptions près, ils se liment les canines.

– Comment s'y prennent-ils, alors? ai-je demandé.

– La plupart administrent discrètement un somnifère à leurs victimes et profitent de leur sommeil pour prélever leur sang au moyen d'une seringue. Ils piquent à deux endroits, comme s'il s'agissait réellement d'une morsure. C'est leur signature.

J'ai grimacé, j'ai la phobie des piqûres.

– Certains, a-t-elle repris, emploient des méthodes plus radicales. Ils utilisent de fausses dents, très tranchantes, qu'ils encastrent sur leurs canines limées, puis ils mordent et s'abreuvent jusqu'à ce que leur proie soit exsangue.

J'ai jeté un coup d'œil à Kaz, son visage s'était assombri. Il pensait sans doute à ses parents. J'ai eu envie de poser ma main sur la sienne, mais je n'ai pas osé.

– Mon souci, a soupiré ma cousine, c'est que je ne suis parvenue à aucune certitude en observant le cou de Muguette.

Elle nous a regardés l'un et l'autre avant d'ajouter :

– Je suis mal placée pour enquêter, je tiens à préserver ma couverture. Pour les gens d'ici, je suis une vieille dame un peu fragile, qui participe à la vie du village et conduit une voiturette de façon fantaisiste... À ce sujet, Lalie, je te rassure, j'ai mon permis, et je n'ai jamais eu le moindre accident! Je me suis composé le personnage le plus inoffensif qui soit afin de ne pas éveiller l'attention de mes voisins Sang-Vif, ni de nos congénères. Du coup, je préfère ne pas intervenir et...

Elle a laissé planer un silence.

– ... et c'est peut-être là que vous entrez en scène!

NOBLE CAUSE

Entrer en scène?

J'ai laissé échapper un rire ravi. Kaz et moi allions mener l'enquête, donner la chasse aux Affamés! Une activité cent fois plus passionnante qu'une partie de pêche au bord de la rivière.

Mon voisin m'a fait un clin d'œil, il semblait aussi excité que moi. Constance a précisé :

– Surtout, ne vous inquiétez pas, il n'est pas question que vous couriez le moindre risque.

Kaz a pris la parole d'une voix exaltée.

– Vous pouvez me demander ce que vous voulez, je suis prêt à tout pour combattre les Affamés.

– Et quand on aura confondu ces traîtres, on se lancera sur la piste du tueur de chats ! ai-je décrété.

Kaz a froncé le nez, interrogateur. Je lui ai raconté notre découverte macabre, et il a secoué la tête, dégoûté.

Constance nous dévisageait, attentive, tour à tour.

– Chaque chose en son temps mais votre enthousiasme fait plaisir à voir ! Voici donc la mission que je vous confie, parfaitement dans vos cordes.

J'ai levé les sourcils, intriguée.

– L'étang dans lequel vous pêchez est en réalité le bras mort d'une rivière qui serpente dans la commune, a-t-elle poursuivi. Elle coule juste en bas de la villa Carmin, vous vous installerez là-bas.

Kaz a murmuré, désappointé :

– On va pêcher, c'est tout ?

Constance a souri.

– Non! La pêche sera votre couverture, en réalité vous allez mener une enquête de terrain. Si je rôde dans les parages, les propriétaires de la villa Carmin se méfieront, tandis que personne ne soupçonnera deux pêcheurs de douze ans d'être au service de notre noble cause. Grâce à vos yeux de lynx et votre ouïe ultra-fine, vous me rapporterez ce qui se passe là-bas. Bref, c'est une mission d'infiltration délicate, primordiale pour la suite des opérations.

Kaz et moi, nous nous sommes regardés, très fiers.

– On commence quand? ai-je demandé.

– Dès demain!

MORSURES PROFONDES

Le soir venu, Constance a délaissé l'ordinateur et s'est assise avec moi sur le canapé. J'ai refermé le tome 1 de *Vampire, fais-moi peur!* et j'ai demandé d'une voix hésitante :

— Ton fils... Que lui est-il arrivé exactement ?

Elle a soupiré.

— Il était comme toi, il éprouvait peu de sympathie pour notre grande famille. À dix-sept ans, il a commencé à fréquenter une délicieuse jeune fille nommée Laura, une Sang-Vif, bien sûr. Ils sont partis étudier à Londres, mais hélas, ils n'ont pas été assez discrets.

Elle s'est tue, perdue dans ses souvenirs.

– Et que s'est-il passé? ai-je relancé timidement.

– Il faut savoir que notre communauté est pleine d'a priori vis-à-vis des couples mixtes, a-t-elle repris, on craint que les Sang-Vif, même s'ils prêtent serment, ne trahissent le secret de notre existence. Bref, dans leur entourage la rumeur s'est répandue que Laura ne tenait pas sa langue, et les Affamés n'ont pas tardé à s'en mêler. Ils l'ont… ils l'ont égorgée. On a retrouvé son corps au pied d'un pont, il ne contenait plus la moindre goutte de sang.

– Et Arthur? ai-je murmuré, horrifiée.

– Il a rejoint les Contre-Sang, sans doute pour rendre justice à Laura. Il a sûrement arrêté plus d'Affamés que je n'en rencontrerai au long de ma vie. Malheureusement, il a été victime, lui aussi, de leur férocité. Son corps était couvert de morsures profondes quand on l'a découvert. Aucune veine n'a été épargnée, ces sauvages se sont acharnés sur lui. Un spectacle terrible.

La gorge serrée, je me suis blottie contre elle.

Elle a passé un bras autour de mes épaules avant de reprendre :

– À sa mort, je me suis engagée à mon tour parmi les Contre-Sang. Je gère un réseau d'alerte sur Internet et je m'occupe du repérage des suspects. Lorsque je suis sûre de moi, j'avertis des collègues qui se chargent d'agir. C'est un peu ce que je vais faire ici, avec votre aide.

– Et qu'arrive-t-il aux Affamés après leur arrestation ?

– Nous convoquons un tribunal qui examine les faits et qui décide d'une sentence. Cela va de la liberté sous haute surveillance à la peine de prison au sein de locaux connus de nous seuls, évidemment.

Je fixais les bûches noircies quand Constance a déclaré, songeuse :

– J'ai bien envie d'appeler tes parents pour leur parler de votre mission car je préférerais avoir leur accord.

– Non, l'ai-je interrompue, tu ne pourras pas les joindre, ils m'ont dit qu'ils sortaient.

Pas question qu'ils s'inquiètent inutilement et me rapatrient d'urgence, direction Joyeuse Tribu.

– Hum hum, a-t-elle répondu, pas dupe.

Elle s'est levée pour fermer les volets.

– Dis-moi, ce Kaz, il est mignon, non?

– Mignon? Tu veux rire! me suis-je écriée. Il est beaucoup mieux que ça, il est super beau, surtout quand il sourit! Enfin, c'est un ami, c'est tout.

– Ah bon?

– Ben oui, c'est un vampire, et moi, tu sais, les vampires…

Une heure plus tard, juste avant de me coucher, j'ai noté au feutre rouge :

« Mardi 3 juillet, 23 h 47.

Horrible : les parents de Kaz ont été tués par des Affamés.

Cool : Constance est une Contre-Sang!

Super cool : elle nous a confié une enquête de terrain, à Kaz et à moi. Nous allons espionner un couple soupçonné d'être des Affamés! À nous de jouer! »

SUR ÉCOUTE

Le lendemain, dès 10 heures, Kaz et moi nous sommes retrouvés au bord de la rivière, en contrebas de la villa Carmin. C'était une longue bâtisse à étage, dotée d'une façade ocre et de volets rouges. En nous retournant, nous avions vue sur une large terrasse prolongée par un terrain fleuri qui descendait jusqu'à nous.

Avec un peu de concentration, nous capterions sans mal les conversations qui se dérouleraient à l'extérieur.

Kaz a contemplé le cours d'eau.

– Le courant est fort, je suis sûr que ça va mordre ! a-t-il remarqué, approbateur.

Il a ouvert sa boîte à hameçons, et j'ai étalé devant moi de quoi survivre en milieu hostile : chapeau pour me protéger du soleil, livre, carnet de croquis et crayons, immense serviette de plage...

Toutes les dix minutes mon voisin attrapait un poisson, le mesurait, le photographiait puis lui rendait sa liberté, la mine réjouie.

J'ai esquissé son portrait de profil : le front haut, des cheveux noirs et drus ; les yeux effilés, les paupières sans un pli ; le nez, si plat ; ses lèvres, bien dessinées, serrées par la concentration.

J'avais envie de lui caresser le visage du bout des doigts afin de mieux m'imprégner de ses contours, mais je n'osais pas.

Pour être honnête, il m'arrivait aussi, quand mes yeux se posaient sur la veine qui battait lentement le long de son cou, d'avoir envie d'y poser ma bouche et d'y planter les dents. J'éprouvais aussitôt une honte teintée de dégoût et je me hâtais de regarder ailleurs.

À 11 heures, après six ablettes relâchées et cinq dessins ratés, les baies vitrées de la maison ont coulissé.

– Ouf, un peu d'action ! ai-je murmuré.

Trois personnes sont sorties s'installer autour d'une table, Muguette et deux vieux messieurs.

Kaz a chuchoté :

– Des Sang-Vif. T'es prête à noter ?

Je lui ai fait un clin d'œil et, calepin en main, nous sommes passés en mode écoute active.

Muguette a dégainé la première.

– Il fait un peu frais, non ?

– Oh, pas tant que ça, a répondu le vieux monsieur numéro un.

– La viande n'était pas un peu trop cuite hier soir ?

– Si, de la semelle ! a convenu numéro deux.

– La sauce était délicieuse, heureusement, a ajouté Muguette.

J'ai murmuré :

– Passionnant, non ?

– Si ça se trouve, ils parlent en code, a observé Kaz sans rire.

J'ai pouffé, mais il m'a coupée net.

– Chut. Voilà quelqu'un.

Une grande femme vêtue de noir traversait le jardin dans notre direction, la figure à demi masquée par la visière d'une casquette et des lunettes de soleil. Certainement la propriétaire des lieux.

J'ai frémi, entre inquiétude et excitation : j'étais peut-être sur le point de rencontrer ma première Affamée...

RENCONTRE AVEC L'ENNEMI

J'ai rangé mes notes sans précipitation pour ne pas éveiller la curiosité de la nouvelle venue.

Elle s'est accoudée à la clôture de son jardin et nous a observés un long moment en silence. J'ai toussoté, mal à l'aise, et elle nous a demandé :

– Ça mord ?

Avec sa casquette et ses lunettes noires, on distinguait mal son visage, si ce n'est qu'il était aussi pâle que le mien.

Kaz a acquiescé avant de s'enquérir :

– Ça ne vous dérange pas qu'on se soit installés ici ?

– Non, au contraire ! Mon mari et moi hébergeons des personnes âgées. Elles sont charmantes mais un peu de jeunesse dans les parages ne nous fera pas de mal.

Mon complice a expliqué, très convaincant :

– Tant mieux, parce que nous participons à un concours. Nous devons photographier un maximum de poissons, nous risquons de venir plusieurs jours de suite.

– Que gagne-t-on à ce concours ?

– Une canne à pêche high-tech équipée d'un périscope qui permet de voir sous l'eau, a improvisé Kaz.

– Alors bonne chance ! Au fait, je m'appelle…

Elle n'a pas terminé sa phrase, distraite par le miaulement d'un chat noir sur la berge d'en face. Elle a laissé flotter un étrange sourire sur ses lèvres pâles avant de reprendre :

– Je m'appelle Victoire, si vous avez besoin de quoi que ce soit, n'hésitez pas à me déranger.

On s'est présentés, on l'a remerciée, et elle est retournée à ses occupations.

Kaz a chuchoté :

— Si ça se trouve, c'est elle qui tue les chats la nuit.

Sans se concerter, on s'est levés d'un bond en hurlant.

Le chat, terrifié, a filé, rapide comme l'éclair.

Nous venions d'avaler la dernière bouchée de notre pique-nique quand les deux messieurs sont apparus devant la maison, une tasse à la main.

— Muguette ne se joint pas à nous ? s'est étonné numéro un.

Numéro deux a secoué la tête.

— Non, elle était fatiguée, elle est montée se reposer.

— Je vais en faire autant, a commenté numéro un, je suis épuisé.

Kaz a froncé les sourcils, en alerte. La mine sombre, il a chuchoté :

— Je suis sûr que ta cousine a raison, on leur pompe le sang la nuit venue.

— Attends, ils sont fatigués, d'accord, mais ça ne prouve rien. On s'est déjà trompés sur le compte de Constance, on ne va pas commettre deux fois la même erreur. Non, on a besoin de vraies preuves.

Il en est convenu d'un hochement de tête.

Les pensionnaires sont rentrés peu après, aussitôt remplacés par Victoire et un homme de petite taille qu'elle appelait Anselme, probablement son mari. Ils ont évoqué le programme du lendemain, une visite au musée des automates avec les deux messieurs et du repos pour Muguette, puis l'homme a braqué son regard sur nous.

– Ce sont les jeunes dont tu m'as parlé?

– Oui, ils participent à un concours de pêche. Ils viendront plusieurs jours de suite, a précisé Victoire.

Sur ce, ils sont rentrés chez eux et nous nous sommes dévisagés en faisant la moue. Pas de nouveaux indices, pas de révélations fracassantes à nous mettre sous la dent.

En fin d'après-midi, de retour à la maison, j'ai livré mes maigres conclusions à Constance.

– Eh bien, il ne se passe pas grand-chose. Les pensionnaires semblent très fatigués… c'est tout.

– Très fatigués ? Ils sont en vacances, ils devraient être en pleine forme, même à leur âge ! a-t-elle répliqué. Vous n'avez rien entendu de suspect, rien remarqué ?

– Non, désolée. Ou plutôt si. Victoire, la propriétaire, semble s'intéresser aux chats.

Ma cousine a conclu :

– Pour les chats, on verra plus tard, mais ne t'en fais pas, vous noterez sûrement des détails intéressants dans les jours qui viennent.

WASABI ET CONFIDENCES

La matinée du jeudi a été calme : une perche, une carpe, mais aucun Affamé en vue. À midi, Kaz a mordu à pleines dents dans un sandwich généreusement garni de moutarde vert pomme. J'ai froncé le nez, intriguée.

– Tu veux goûter? m'a-t-il proposé. C'est du wasabi, c'est japonais!

J'aurais dû me méfier de son ton engageant.

J'ai croqué à mon tour et les feux de l'enfer ont envahi mon palais, pire que si on frottait ma langue avec un piment couvert de poivre.

J'ai ouvert la bouche en haletant comme un poisson hors de l'eau et Kaz a ri sans un bruit.

J'ai pris ma gourde et je l'ai presque vidée, avant de balbutier :

– T'aurais… T'aurais pu me prévenir, c'est atroce !

Il a attrapé un bâton et il a posé doucement l'extrémité à la base de mon cou.

– Te voilà intronisée chevalière de l'ordre de ceux qui ont goûté au wasabi.

Pour obtenir mon pardon, il m'a offert les deux parts de brownie que sa mère lui avait données et j'ai accepté sans hésiter.

Après le déjeuner, on s'est jetés à l'eau. On a nagé, pêché des poissons avec nos mains, fait un concours d'apnée – six minutes pour moi, cinq minutes pour lui – puis on s'est écroulés sur nos serviettes éponge.

Je m'étais éraflé le mollet sur un rocher, des gouttes de sang perlaient que je me suis empressée de recueillir du bout du doigt pour les déguster.

Kaz a détourné le regard et je me suis demandé si lui aussi, parfois, avait envie de me mordre.

Je me suis endormie à l'ombre d'un acacia pour me réveiller une heure plus tard avec la sensation qu'un insecte se promenait sur mon visage. Kaz, penché sur moi, me chatouillait les joues à l'aide d'une brindille. Il m'a aussitôt fait son rapport.

– Numéro un et deux sont rentrés du musée des automates, et numéro un est ressorti se promener en compagnie de Muguette.

J'ai hoché la tête distraitement.

– Tes parents et toi, vous venez à Paris parfois ? lui ai-je demandé.

– On emménage là-bas en septembre.

– Quoi ? Alors on…

Il a terminé ma phrase :

– Oui, on sera dans le même collège, forcément. Ma mère ne veut pas m'inscrire dans un établissement ordinaire.

– Et on sera peut-être dans la même classe, ai-je ajouté, ravie.

Kaz m'a raconté que ses parents étaient profs de maths dans un collège « normal ». Il les adorait et partageait avec eux la passion du Japon. Son père lui avait promis un voyage là-bas pour ses quinze ans.

Il était champion départemental de gym-
nastique, il jouait de la flûte traversière, il
pêchait depuis l'âge de huit ans, il aimait la
solitude. Il avait un chat prénommé Neko,
qu'il avait confié à sa grand-mère le temps
des vacances. Il adorait les mangas, il m'en
prêterait autant que je voudrais.

Je lui ai confié que je prenais des leçons
de dessin; que Pauline, ma seule amie, était
partie vivre à New York depuis un an et
qu'elle me manquait; que papa était repré-
sentant en produits ménagers et maman
technicienne de laboratoire.

On était si bien que, pour un peu, j'en
aurais oublié la raison de notre présence ici.

Vers 16 heures, Anselme est sorti avec un
panier rempli de flacons maculés de rouge.
Il les a alignés sur la terrasse avant de les
rincer un à un à l'aide d'un tuyau d'arrosage.

– C'est du sang, non? a noté Kaz sur son
carnet.

J'ai acquiescé, écœurée. Oui, du sang...
Restait à savoir d'où il provenait. Kaz a
pris l'appareil photo, il a zoomé, et clic, il a
immortalisé les récipients rougeâtres pour
Constance.

Pendant le dîner, je lui ai raconté notre journée mais j'ai senti qu'elle ne m'écoutait pas, elle paraissait préoccupée. J'ai sorti l'appareil de Kaz pour lui montrer les clichés, toutefois elle ne leur a accordé qu'un coup d'œil distrait. Puis au moment du dessert, à ma grande stupéfaction, elle m'a annoncé :

– Je vous rends votre liberté.

– Quoi ?

– J'ai pris d'autres dispositions, mon petit, m'a-t-elle répondu, évasive. Ne perdez pas davantage de temps à surveiller la villa Carmin.

– Et notre enquête de terrain alors ? On la commence à peine !

Elle a secoué la tête.

– C'est les vacances, profitez-en, amusez-vous.

J'ai voulu protester, mais elle m'a arrêtée d'un geste ferme de la main.

– N'insiste pas, Lalie, j'ai mes raisons. Par ailleurs, sache que demain je m'absenterai. Un rendez-vous chez le dentiste, des courses à faire…

J'ai haussé les épaules, bien décidée à bouder. Elle m'a souri.

– Et je te rapporterai une surprise !

J'ai fait comme si je ne l'avais pas entendue et je l'ai aidée à débarrasser le couvert sans un mot, avant de m'affaler sur le canapé avec mon livre, sourcils froncés.

Je n'ai pas ouvert la bouche de la soirée et je ne l'ai même pas embrassée avant de monter me coucher. Elle n'a pas paru s'en rendre compte, elle était trop absorbée par la lecture de ses mails.

Dans mon journal j'ai noté :

« Jeudi 5 juillet, 23 h 12.

Archi-nul : Constance nous retire l'enquête sans explication. Je suis dégoûtée ! »

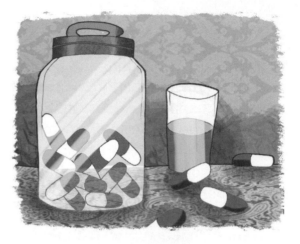

DES BOTTES DANS LA NUIT

J'ai mal dormi, cette nuit-là.

J'ai rêvé que j'avançais à pas feutrés jusqu'au lit de Constance et que je me jetais sur elle pour la dépecer et me repaître de son sang.

Je me suis réveillée brusquement.

Je n'avais plus sommeil. Une sensation désagréable s'était nichée au creux de mon estomac, une faim très particulière, reconnaissable entre toutes. Une faim de sang. J'ai maudit mes gènes en avalant quatre gélules avec un peu d'eau.

Je suis descendue et j'ai allumé la télé, en réglant le son au minimum. Je suis tombée sur un documentaire qui expliquait la migration des saumons, Kaz aurait adoré. Décidément, impossible d'échapper aux poissons !

J'étais sur le point de m'endormir sur le canapé quand j'ai perçu un crissement sur le chemin, à trois ou quatre cents mètres. C'étaient des pas, oui, des pas qui avançaient en direction de notre maison. Je me suis souvenue du jeu auquel ma mère et moi nous amusons souvent : nous fermons les yeux et nous identifions les chaussures des passants rien qu'au son qu'elles produisent, ballerines, sandales, espadrilles, tennis. Là, à n'en pas douter, c'étaient des bottes de cow-boy portées par un homme.

Soudain le bruit a cessé, suivi d'un tohu-bohu dans les fourrés, d'un miaulement déchirant, puis d'un léger rire satisfait. Un frisson glacé m'a parcourue, et les bottes ont de nouveau claqué sur la route. Le meurtrier s'éloignait. Je suis restée immobile cinq bonnes minutes avant de me précipiter à l'étage pour m'enfouir sous la couette.

J'ai fini par me rendormir mais quand mon réveil a sonné à 9 h 30, j'ai eu du mal à émerger.

Pas rancunière, Constance m'avait laissé un mot :

« Je suis partie, à tout à l'heure mon petit, bisous. »

Je suis sortie en pyjama et, sur le bas-côté de la maison, non loin du portail, j'ai aperçu la dépouille d'un chat blanc tachée de rouge. Je n'avais pas rêvé !

J'ai pris ma douche, je me suis forcée à avaler deux boudins froids et j'ai bu un verre de jus d'orange. À 10 h 30 tapantes, j'étais au bord de l'eau, prête à annoncer à Kaz la fin de notre mission et à lui raconter ma nuit agitée.

INVITATION

Kaz était en retard, aussi l'espace d'un instant, je me suis inquiétée. Et s'il préférait pêcher seul, là-bas, au bord de l'étang ? Et s'il avait fait une mauvaise rencontre en chemin, le tueur de chats par exemple ?

J'ai compté jusqu'à vingt avant de l'apercevoir enfin. Il avançait vers moi, en short et en baskets, canne à pêche à la main. J'étais si soulagée que mon cœur a bondi pour saluer son arrivée.

– Inutile de t'installer, ai-je déclaré, l'enquête est terminée.

– Quoi ?

– Constance n'a pas voulu m'en dire plus. Elle a changé d'avis, c'est tout, ai-je complété en levant les yeux au ciel.

La déception s'est peinte sur son visage. Il a désigné la villa Carmin du menton.

– Quand je pense qu'ils passent sans doute leurs nuits à sucer le sang de leurs pensionnaires !

Il a ajouté en se tournant vers la rivière :

– Le problème c'est que je n'ai pas assez de photos pour le concours, il faut que j'attrape encore cinq ou six poissons.

– Quoi ? Tu es vraiment inscrit à un concours ?

– Oui, a-t-il avoué, j'ai rempli un dossier sur Internet.

– Alors on reste ! L'enquête officielle est terminée, d'accord, mais si nous recueillons de nouveaux indices, Constance changera peut-être d'avis.

Il m'a souri en déballant son matériel. Je me suis assise en tailleur et je lui ai raconté mon aventure nocturne.

– Donc ce n'est pas Victoire qui massacre les chats, a-t-il conclu.

– Non, c'est un homme, j'en suis certaine.

J'ai sorti carnet de croquis, papier et crayons, prête à m'attaquer au profil droit de Kaz, quand il a marmonné :

– Regarde qui vient par là.

Victoire s'avançait vers nous. Elle s'est accoudée à la barrière.

– Ça marche ce concours ?

Kaz a acquiescé.

– Mon mari et moi serions heureux de vous inviter à déjeuner, cela vous tente ?

On est resté muets pendant au moins cinq bonnes secondes, aussi saisis l'un que l'autre, puis je me suis lancée, sans filet. Pas question de manquer ce repas, c'était une occasion inespérée d'obtenir des informations, peut-être même des preuves !

– Volontiers, hein Kaz ?

Il m'a regardée, surpris, avant de hocher mollement la tête.

– Parfait, steak-frites au menu ! s'est-elle réjouie. Nos pensionnaires seront ravis de vous rencontrer.

Elle s'est éloignée. Pour être sûr qu'elle ne nous entende pas, Kaz a tracé :

« Je ne suis pas sûr que ce soit une bonne idée. »

J'ai fait crisser la pointe de mon stylo.

« On ne risque rien, les papis et Muguette seront là. »

Il a fait la moue.

« Mieux vaut prévenir Constance. »

Aïe.

« Impossible, elle a un rendez-vous à Célestin. Désolée, je ne connais pas son numéro de portable, je ne sais même pas si elle en a un. Tu veux qu'on prévienne tes parents ? »

Il a secoué la tête.

« En randonnée. Pas de portable. Franchement, c'est pas malin d'avoir accepté, on ne sait pas de quoi ils sont capables ! »

Les sourcils froncés, il a posé son carnet par terre et m'a tourné le dos.

Et s'il avait raison ? Et si c'était un piège ? Et si Victoire et son mari se jetaient sur nous ? Et si…

Je me suis pincé les joues, stop, halte au délire, nous ne risquions rien. En revanche, nous serions au premier plan pour découvrir s'il se tramait quelque chose de louche à la villa Carmin.

J'ai posé doucement ma main sur l'épaule de Kaz. Pour me faire pardonner, je lui ai proposé de noter à sa place les mensurations de ses prochaines prises et de dessiner chacune d'elles. Mes premiers portraits de poissons.

Il a accepté, je lui ai souri, heureuse qu'on soit réconciliés.

HERBES SAUVAGES ET SANG DE POULET

À midi, du bout de sa terrasse, Victoire nous a adressé de grands signes.

Mon pêcheur préféré a plié son matériel en ronchonnant, j'ai épousseté ma jupe afin de la débarrasser des brins d'herbe sèche et nous avons emprunté le chemin qui longeait le jardin de notre hôtesse.

Avant d'arriver, j'ai glissé à Kaz :

— Rappelle-toi, les Affamés ne s'en prennent pas aux enfants.

— Sauf s'ils ont envie de sang frais, a-t-il rétorqué en toute mauvaise foi.

Victoire nous a conduits à l'intérieur et nous a présenté ceux qu'elle appelait sa petite famille : son mari, Muguette, Bertrand – vieux monsieur numéro un – et Philippe – vieux monsieur numéro deux.

En pénétrant dans la salle à manger, j'ai reniflé discrètement, intriguée. Je captais des effluves à la fois étranges et familiers que je ne parvenais pas à nommer, comme une musique cent fois entendue que l'on ne parvient pas à reconnaître. Une note piquante, masquée par l'odeur du repas.

Nous avons pris place autour d'une table ronde et notre hôtesse s'est relevée.

– Quelle idiote, j'ai oublié les boissons ! Je descends à la cave.

Elle a aussitôt disparu derrière une porte située au fond du couloir qui nous faisait face. Elle est revenue deux minutes après, munie d'une bouteille de vin et de canettes de Coca. Elle s'est adressée à Anselme :

– Il faudra changer l'ampoule, elle a grillé.

Anselme nous a servi une pleine assiette de carottes râpées à la fleur d'oranger. Kaz avait le visage plus fermé que jamais, si bien que les questions ont convergé vers moi.

Tout y est passé. Mon âge, mon collège, le métier de mes parents, mes loisirs, mes vacances, ma vie, mon œuvre... Je répondais avec le sourire, en pilote automatique, en observant les lieux sans savoir ce que je cherchais.

À première vue, rien de spécial. Sauf trois horribles petites gravures, au-dessus du buffet.

Sur la première, j'ai reconnu le château de Dracula, en Roumanie. Au sol, une multitude de cadavres se confondait avec la végétation. Sur la deuxième, un vampire ricanant dépeçait un Sang-Vif qui brandissait vainement des gousses d'ail. Et sur la troisième, une femme dotée de canines longues et pointues s'apprêtait à mordre une petite fille endormie.

Effrayant, et de très mauvais goût.

J'ai reporté mon attention sur Muguette. Elle était pâle, elle avait les traits tirés, mais elle semblait en forme et mangeait avec appétit. Ses comparses n'avaient pas très bonne mine eux non plus, mais cela ne signifiait pas qu'ils étaient la proie de buveurs de sang.

J'étais un peu déçue. Pas de nouvelles preuves, pas d'indices, notre enquête clandestine piétinait !

Je me suis consolée avec le repas, délicieux : le steak était tendre à souhait, double ration s'il vous plaît, les frites dorées à point, et le Coca pétillant. Quant au crumble poire chocolat, je n'en avais jamais dégusté d'aussi bon. J'ai soupiré d'aise avant de remarquer que Kaz s'efforçait d'attirer mon attention. J'ai lu sur ses lèvres :

« Les gélules. »

Ah, les gélules. Oui, il avait raison, sans leur apport en fer et en protéines, nous subirions sans doute un énorme coup de pompe dans l'après-midi. Bah, quelle importance ? J'ai cligné de l'œil, « T'inquiète pas ! », et il a esquissé une moue peu convaincue.

Après le café, les pensionnaires sont montés faire la sieste.

– Les enfants, a déclaré Victoire, je vous laisse. Mes roses m'attendent, de superbes sanguines qui ne demandent qu'à être cueillies.

Elle est sortie dans le jardin et Kaz s'est levé, pressé de décamper. Je l'ai imité.

Anselme s'est glissé devant nous.

– Ne partez pas si vite ! Je vais vous faire goûter ma tisane à base de d'herbes sauvages et de sang de poulet. Vous m'en direz des nouvelles !

J'ai baissé la tête, à la recherche d'une excuse pour me défiler et là, j'ai cru que j'allais m'évanouir. Sous mes yeux, les pieds de notre hôte. Ou plus exactement, ses bottes de cow-boy. Le tueur de chats, c'était lui. Impossible d'alerter Kaz en présence d'Anselme !

Il nous fixait en souriant avec insistance. Pas moyen de refuser. J'ai décelé une lueur gourmande dans ses yeux, et j'ai frémi. Il a avancé de deux pas, on a reculé d'autant.

– Passez au salon, je vous en prie.

Je me suis exécutée, Kaz m'a imitée. Nous nous sommes assis dans un canapé profond et Anselme nous a servi deux grandes rations d'un liquide rosâtre.

– Ça se boit froid. C'est excellent, vous verrez.

J'ai avalé quelques gorgées de tisane et, à ma grande surprise, je l'ai trouvée délicieuse. Kaz aussi probablement, car sous l'œil appréciateur d'Anselme il a vidé un premier verre, puis un second.

J'ai voulu lui donner un discret coup de coude dans les côtes – le signal du départ – mais je n'ai pas pu, terrassée par un irrépressible besoin de dormir.

UNE GOUTTE DE SANG

Ce n'est pas une plume maniée par Kaz qui m'a réveillée, mais un profond silence.

Il m'a fallu quelques secondes pour me repérer. Ah oui, la villa Carmin, le déjeuner, les bottes, la tisane... Il fallait qu'on parte d'ici en vitesse, sauf que je me sentais incapable de réagir. J'ai tourné la tête, à côté de moi le plus beau des vampires se reposait, la bouche légèrement entrouverte.

J'ai aperçu Victoire dans le jardin, agenouillée face à un massif de fleurs rouge vif. J'ai perçu du bruit dans la cuisine, sans doute Anselme.

J'ai reporté mon regard sur Kaz, une goutte de sang perlait à la base de son cou. Mon premier réflexe a été de la recueillir et de la porter à ma bouche.

Je me suis arrêtée à temps, frissonnante. Qu'est-ce qui me prenait ? D'habitude je réfrénais sans peine mes instincts. Je me suis souvenue des mots de ma mère « Vampire tu es, vampire tu resteras ! » et j'ai esquissé une grimace de dégoût. C'est seulement à ce moment-là que j'ai réalisé que la goutte de sang n'avait rien à faire là.

Je me suis approchée du cou de Kaz et j'ai découvert deux petits trous sur une grosse veine.

Mon cœur s'est mis à cogner de façon désordonnée. J'ai porté la main à ma gorge, sans trouver de zone sensible, puis j'ai regardé mes doigts. Pas la moindre trace de sang. Victoire et Anselme n'avaient fait qu'une victime.

Les propriétaires de la villa Carmin étaient bien des Affamés, cela ne faisait plus aucun doute. On devait bouger avant que ces dingues ne se jettent sur nous, armés d'une seringue.

J'ai secoué Kaz qui n'a pas bronché. Et s'il était inconscient? Les larmes me sont montées aux yeux. C'était ma faute si on en était arrivés là, je m'étais précipitée tête baissée dans le piège que Victoire et son mari nous avaient tendu.

– Kaz, ai-je appelé à voix basse, Kaz, je t'en supplie, réponds-moi.

Aucun résultat.

J'ai approché mon oreille de sa bouche. Son souffle régulier m'a légèrement rassurée.

L'horloge au-dessus du buffet indiquait 14 h 30.

Constance était sûrement rentrée, mais elle n'avait aucune raison de s'inquiéter, elle nous croyait partis en balade. Quant aux parents de Kaz, ils le pensaient au bord de la rivière.

Le téléphone était posé sur un guéridon à deux mètres de moi. J'allais attraper le combiné pour appeler Constance quand j'ai vu Victoire s'avancer vers la terrasse, un panier garni de roses vermillon au bras. J'ai suspendu mon geste. Que faire, m'échapper en courant ? Non, impossible d'abandonner Kaz à ces suceurs de sang. La peur au ventre, j'ai repris ma place sur le canapé et fermé les paupières.

INTENTIONS MEURTRIÈRES

Victoire s'est approchée sur la pointe des pieds. Je me suis raidie. J'ai senti qu'elle se penchait sur nous pour nous observer, et ça m'a donné la chair de poule. Soudain, elle a laissé échapper un murmure stupéfait :

– Non...

Elle s'est écartée et elle a appelé à mi-voix :

– Anselme ? Anselme ?

J'ai entendu son mari sortir de la cuisine, puis Victoire a chuchoté :

– Le garçon saigne, qu'est-ce que tu as fabriqué ?

131

Son mari a répliqué :

– Quelque chose qui va changer notre vie, fais-moi confiance ! Si je t'en avais parlé, tu m'en aurais empêché.

– On n'est pas censés s'en prendre aux enfants, tu le sais ! a-t-elle crié. Qu'est-ce qu'il va raconter à ses parents, ce petit, hein ? Deux traces de piqûres sur une peau si tendre, tu crois que ça ne se voit pas ?

– Désolé, les vieux, les chats, les chiens, les oiseaux, ça ne me suffit plus.

– Je comprends ton insistance à les inviter ! a-t-elle remarqué, ironique. Comment se fait-il qu'ils dorment si profondément ?

– J'ai copieusement arrosé leur tisane de somnifère et ils n'ont pas pris leurs substituts sanguins à midi.

Voilà pourquoi je m'étais endormie ! Quant à Kaz, avec toute la tisane qu'il avait bue, il n'était pas près d'ouvrir les yeux. On était fichus.

Victoire a poussé un profond soupir et Anselme a renchéri :

— J'ai goûté le sang de ce garçon, il est tellement puissant que j'ai la sensation d'avoir retrouvé mes vingt ans. Imagine : on lui en prélève la totalité, on en garde la moitié pour notre consommation personnelle et on vend le reste sur Internet. Nos congénères vont adorer, c'est la fortune assurée !

J'ai failli m'étrangler. À croire que Kaz et moi tenions les rôles principaux dans un film d'horreur. Seulement personne n'allait crier « Coupez ! ».

— Et le corps ? Et la fille ? a demandé sa femme.

— La fille ? Je n'ai pas testé son sang mais il est sûrement de très bonne qualité. On prélève, on consomme, on vend, et on se débarrasse des corps en forêt.

— Et si les soupçons se portent sur nous ?

— Tu plaisantes ? Un couple respectable qui héberge des personnes âgées… Et quand bien même on nous suspecterait, avec la somme qui est en jeu, je t'assure que ça vaut le coup ! Plus besoin de travailler, nous serons tranquilles jusqu'à la fin de nos jours.

J'ai tenté d'avaler ma salive, mais ma gorge était paralysée par la peur. Dans quelques heures, nous serions morts.

– Il faut agir rapidement pendant que nos pensionnaires se reposent, a déclaré Victoire, toute réticence envolée.

À cet instant, la voix de Muguette a retenti, en provenance de l'étage :

– Anselme ? Anselme ?

– Zut, a chuchoté Victoire. Viens, on va leur faire avaler quelques gouttes de somnifère pour être tranquilles.

Ils ont emprunté l'escalier et je me suis ruée sur le téléphone. Les doigts tremblants, j'ai composé le numéro de Constance mais la sonnerie a retenti dans le vide.

Surtout ne pas céder à la panique, trouver une solution. Fébrile, j'ai regardé autour de moi. Le salon, la salle à manger, le couloir. La cave !

Oui, ça c'était une idée ! Une idée désespérée, peut-être, mais c'était la seule qui me venait à l'esprit !

PIÉGÉS !

J'ai donné une gifle à Kaz en grondant « Allez, réveille-toi », sans résultat. Alors j'ai attrapé ses beaux cheveux noirs à pleines mains et j'ai tiré de toutes mes forces. Il a enfin battu des paupières en grimaçant de douleur.

– T'es dingue ! a-t-il grommelé.

J'ai chuchoté à son oreille :

– Fais ce que je te dis, question de vie ou de mort. Je vais essayer de piéger Victoire et son mari.

Il a répété d'une voix pâteuse :

– Piéger Victoire et son mari ?

– Oui, lève-toi, vite.

Il n'a pas réagi alors je me suis dressée devant lui et j'ai tiré sur ses bras pour le relever. Pour une fois, la force singulière que me donnaient mes gènes de vampire m'était utile. Je l'ai guidé jusqu'à une grande penderie et je l'ai poussé à l'intérieur.

– Tu restes là !

Il a dodeliné de la tête. Un jeu de boules traînait par terre, je l'ai ramassé et je me suis précipitée vers la cave. J'ai ouvert la porte. Un escalier abrupt menait au sous-sol. L'odeur qui m'avait dérangée un peu plus tôt m'a de nouveau assaillie. Puissante, cette fois, et reconnaissable entre toutes : l'odeur du sang, bien sûr ! La cave contenait sans doute les prélèvements faits sur les pensionnaires et stockés dans ces flacons en verre qu'Anselme avait nettoyés la veille.

Répugnant !

J'ai jeté rageusement le jeu de boules devant moi et j'ai obtenu le vacarme escompté. J'ai aussitôt hurlé :

– Au secours, Kaz est tombé !

Victoire s'est précipitée, suivie de près par son mari.

– Quoi ? Que se passe-t-il ? m'ont-ils demandé en même temps.

Je n'ai pas eu besoin de me forcer pour que ma voix tremble d'émotion.

– On s'est réveillés, Kaz s'est levé, il s'est dirigé vers la cave, il a ouvert et il est tombé. Il ne bouge plus, faites quelque chose, ai-je supplié en feignant le désespoir.

Je craignais qu'ils me rient au nez et m'ordonnent de rejoindre Kaz pour nous achever en toute tranquillité, mais mon numéro les a pris de court. Anselme a appuyé en vain sur l'interrupteur.

– Flûte ! a-t-il râlé.

Il a descendu les premières marches dans le noir, précautionneusement, puis il s'est retourné.

– Victoire, qu'est-ce que tu attends ?

Elle a posé une main sur mon épaule.

– Dans le tiroir du buffet de la cuisine, tu trouveras une lampe de poche, Lalie, va la chercher.

Et elle s'est engouffrée dans l'obscurité.

J'ai refermé sur eux, j'ai donné deux tours de clé et j'ai soufflé de soulagement. Cette fois, j'étais sûre de ne pas commettre d'erreur judiciaire !

Ils sont remontés aussitôt et Anselme a hurlé :

– Sale petite peste, ouvre-nous immédiatement !

Sûrement pas !

La porte était en bois massif, apparemment impossible à enfoncer, mais j'ai préféré glisser devant le gros buffet qui meublait le couloir. Aussi forts qu'ils soient, les deux Affamés ne parviendraient pas à s'échapper tout de suite. Enfin, c'est ce que j'espérais.

SAUVE QUI PEUT

J'ai secoué Kaz qui somnolait debout, beau comme une statue. Et là, malgré l'urgence, prise d'une irrépressible impulsion, j'ai approché mes lèvres tout près des siennes. Il a soulevé les paupières et il a froncé les sourcils en bafouillant :

– Mais que... que...

– Euh, rien, rien ! ai-je balbutié en reculant, horriblement gênée. Allez, on file chercher Constance avant que les deux Affamés ne s'échappent.

Il avait l'air complètement perdu.

– Et... Et la tisane ? a-t-il murmuré.

– Quoi la tisane ?

– J'ai soif, j'en reprendrais bien un verre.

– Même pas dans tes rêves, ai-je répliqué.
Il faut qu'on se sauve, ils veulent nous tuer.
Je t'expliquerai quand tu seras redescendu
sur terre !

J'ai vu une lueur de frayeur traverser son
regard embrumé et je l'ai entraîné dehors.
Je marchais rapidement en jetant des coups
d'œil derrière moi. Kaz trébuchait à chaque
pas, entre veille et sommeil.

– Dépêche-toi ! ai-je insisté, inquiète.

– Je ne peux pas aller plus vite, vas-y sans
moi, a-t-il marmonné.

Sans lui ? Jamais de la vie.

– Tu rigoles ? Appuie-toi sur moi.

Serrés l'un contre l'autre, on a avancé
jusqu'à la maison de Constance, en nous
retournant toutes les dix secondes.

J'ai ouvert la porte. Un rire m'a accueillie,
un rire que je connaissais depuis toujours.

Mon père !

Je me suis précipitée dans ses bras pendant que Kaz, en mode zombi, s'écroulait sur le canapé.

– Surprise surprise ! s'est exclamée Constance, ravie. On vient d'arriver, figure-toi que…

– Pas le temps ! l'ai-je interrompue en m'écartant de papa. Victoire et Anselme sont bien des Affamés, on les a enfermés dans leur cave. Il faut appeler des Contre-Sang en renfort. Ils voulaient nous tuer !

– Quoi ? a rugi mon père.

– Anselme boit le sang des chats la nuit et tout à l'heure il a piqué Kaz, il…

Papa s'est penché sur Kaz, il a observé attentivement son cou et il s'est tourné vers Constance, le visage sombre.

– Donne-moi les clés de ta voiturette, je vais régler ce problème immédiatement.

Et il nous a quittés sans un mot.

– Régler ce problème ? ai-je répété, incrédule. Mais comment ?

Elle m'a adressé un clin d'œil.

– Comment ? En faisant son métier, mon petit, en faisant son métier…

MON PÈRE CE HÉROS

Mon père, un Contre-Sang?

J'ai secoué la tête, incrédule. Constance a ajouté :

– Eh oui mon petit, il est l'un des officiers supérieurs de notre Brigade, matricule 95612.

– C'est toi qui lui as demandé de venir?

– Oui. Hier après-midi, Muguette est venue chez moi accompagnée de Philippe et j'ai constaté que lui aussi avait deux piqûres à la base du cou. Le doute était levé, j'ai donc appelé ton père qui s'est immédiatement rendu disponible, il est arrivé au train de 12h45.

Elle a pressé ma main, l'air affligé.

– Lorsque je t'ai demandé d'abandonner la surveillance, j'ai cru que vous ne retourneriez pas à la villa Carmin ce matin, et j'étais loin de m'imaginer que Victoire et Anselme s'en prendraient à vous. Je m'en veux de vous avoir exposés à pareil danger !

Je l'ai embrassée pour la réconforter et j'ai observé Kaz qui ronflait, bouche ouverte, allongé sur le canapé.

J'ai entendu le bruit d'un moteur qui s'éloignait et je me suis dirigée vers la porte.

– J'y vais, papa aura peut-être besoin d'aide.

– C'est hors de question, Lalie, tu restes ici !

Sûrement pas. Je n'imaginais pas un seul instant papa venir à bout seul de ces deux sauvages.

Je suis sortie en trombe et j'ai couru à perdre haleine jusqu'à la pension de famille. Je me suis approchée à pas de loup, j'ai contourné la maison pour gagner la terrasse et j'ai jeté un coup d'œil prudent à l'intérieur…

Mon père se tenait face aux Affamés, revolver au poing. D'un ton sévère, il a déclaré :

— La Cour tiendra compte des aveux que vous venez de faire, mais je doute que cela allège votre peine.

Il a tendu une paire de menottes à Victoire.

— Attachez les poignets de votre mari, a-t-il ordonné. Attention, pas de bêtise, je vous tiens en joue.

Elle s'est exécutée, puis mon père l'a menottée à son tour.

— Vous allez monter dans la voiture bien gentiment. Je louerai un autre véhicule à Célestin et je vous conduirai dans un endroit où vous serez jugés dès ce soir. D'ici là, pas un mot, pas un geste, compris ?

Les deux captifs ont acquiescé et tous les trois se sont dirigés avec lenteur vers la porte d'entrée.

J'étais terriblement fière. Mon père était un vrai professionnel. Dire que je croyais qu'il vendait du produit vaisselle et de la lessive à des ménagères !

J'ai vu Constance s'avancer sur le chemin. Elle m'a rejointe et elle a passé son bras autour de mes épaules. J'ai murmuré :

— Papa avec un revolver, c'est étrange.

— Ce n'est pas un pistolet classique, m'a-t-elle précisé. C'est une arme qui projette des fléchettes anesthésiantes d'une redoutable efficacité. Nous ne l'utilisons qu'en dernier recours.

Elle a suivi des yeux la voiturette qui s'éloignait.

— Crois-moi, Anselme et Victoire regretteront leur vie durant de s'en être pris à vous et d'avoir abusé de la faiblesse de personnes âgées !

Elle a ouvert la baie vitrée.

— Je vais m'occuper des pensionnaires.

Je suis repartie en marchant tranquillement cette fois, un grand sourire sur les lèvres.

Mon père, un Contre-Sang !

Sur le chemin j'ai ramassé une plume de pie. Arrivée chez ma cousine, je me suis assise à côté de Kaz. J'ai attendu un peu puis, pressée de sentir son regard posé sur moi, j'ai promené la plume délicatement sur son visage et sur son cou.

BALADE ET FRAISES DES BOIS

Le lendemain après-midi, j'ai retrouvé Kaz devant chez lui pour une balade sans canne à pêche ni hameçons. On a longé le chemin en silence, puis il s'est tourné vers moi.

– Raconte-moi ce qui s'est passé hier, j'ai presque tout oublié, c'est sûrement à cause des somnifères.

Je me suis exécutée volontiers. Il m'a écoutée attentivement, les yeux brillants.

– Et après, une fois que ton père a emmené les Affamés, qu'est-ce que tu as fait? m'a-t-il demandé.

– Je t'ai reconduit chez toi, avec l'aide de Constance. Heureusement qu'elle était là pour expliquer la situation à tes parents ! Je me sentais mal, c'est un peu ma faute si on en est arrivés là.

– C'est surtout grâce à toi s'ils ont été arrêtés ! Tu seras peut-être Contre-Sang plus tard, comme ton père ! Moi j'adorerais en tout cas, a-t-il déclaré, rêveur.

J'ai souri. Devenir Contre-Sang tous les deux ? Oui, pourquoi pas ! Je nous voyais déjà parcourir le monde ensemble à la poursuite des Affamés, mener de vraies enquêtes, procéder à des arrestations…

– Et les pensionnaires, que vont-ils devenir ? s'est inquiété Kaz.

– Constance s'en est occupée. Elle leur a expliqué que Victoire et Anselme avaient dû partir précipitamment à cause d'un souci familial. Elle a passé des coups de téléphone et elle a réussi à leur dénicher un nouvel hébergement à proximité.

On a quitté le sentier pour s'engager dans un sous-bois qui sentait bon la terre humide.

– J'ai trouvé un concours de cabanes sur Internet, m'a dit Kaz. On pourrait s'inscrire…

J'ai acquiescé, enthousiaste. Oui, grimper aux arbres, construire des cabanes, ce serait cent fois plus excitant que de taquiner les poissons.

– Le couple d'Affamés, tu sais ce qui va leur arriver maintenant ?

J'ai secoué la tête.

– Aucune idée. Quand papa est rentré ce matin, je lui ai posé la question, mais il m'a juste répondu « secret professionnel ». Je crois que nous n'en saurons jamais plus.

– « Secret professionnel », la classe ! a soufflé Kaz, admiratif.

On a passé le reste de l'après-midi à construire une cabane en commentant encore et encore les événements de la veille.

Au moment de nous séparer, mon vampire préféré a murmuré :

– Maintenant que tout est rentré dans l'ordre, tu vas pouvoir finir ce que tu as commencé.

J'ai levé des sourcils étonnés, mais il a refusé de s'expliquer davantage.

Une fois à la maison, je me suis nichée contre mon père qui somnolait sur le canapé. J'étais sur le point de m'assoupir moi aussi quand Constance a annoncé :

– Et ce soir festin avec invités surprises !

– Qui ça ? me suis-je écriée en sortant brusquement de ma torpeur.

Mon père et elle ont échangé un clin d'œil et Constance a lancé :

– Taratata, viens plutôt m'aider à préparer le repas !

CŒUR DE VAMPIRE

À 19 heures, un klaxon a retenti sur le chemin.

— Va ouvrir, m'a proposé Constance.

Je me suis précipitée et j'ai hurlé de joie en découvrant la voiture blanche qui s'engouffrait dans la cour. Ma mère ! À peine avait-elle posé le pied par terre que j'étais dans ses bras, le nez enfoui dans son cou parfumé au jasmin.

J'étais si heureuse que j'ai senti poindre les larmes. Je les ai vite essuyées, car les autres invités surprises s'avançaient vers nous : Marguerite, Clovis et Kaz, beau

151

comme tout, vêtu d'un jean neuf et d'une chemise blanche aux manches retroussées. La classe !

Il m'a tendu un paquet bien emballé. Je me suis empressée de déchirer le papier et j'ai découvert les trois premiers tomes d'un manga, *Cœur de Vampire*.

– C'est l'histoire d'une fille et d'un garçon très différents, à qui il arrive un tas de trucs et… enfin, tu verras.

Une fille et un garçon très différents à qui il arrive un tas de trucs… exactement comme Kaz et moi !

On s'est attablés pour savourer un carpaccio de bœuf et une fondue bourguignonne. J'avais préparé les sauces, aïoli, béarnaise, aurore, poivrée, piments doux, et les compliments n'ont pas tardé à pleuvoir.

Clovis et Marguerite ont parlé travail, politique, voyages avec mes parents et Constance. Heureusement, ils ne se sont pas étendus sur nos mésaventures.

Kaz et moi, on tirait des plans sur la comète pour la suite des grandes vacances quand maman a fait tinter sa fourchette sur son verre.

– Lalie, j'ai une excellente nouvelle. Je t'ai trouvé une place en colo, à partir de la semaine prochaine.

– Quoi ? me suis-je écriée, horrifiée.

– Rassure-toi, pas à Joyeuse Tribu ! Tu nous as répété à maintes reprises que tu voulais prendre tes distances avec notre grande famille. Ton père et moi en avons beaucoup discuté, et nous sommes convenus que ce n'était pas une mauvaise idée.

J'étais atterrée. Maman m'a caressé les cheveux.

– C'est au bord de la Méditerranée, un endroit de rêve, surtout fréquenté par des Sang-Vif, fort peu de vampires à l'horizon.

Des distances avec notre grande famille ? J'avais vraiment dit ça ? Comme cela me semblait loin...

J'ai regardé tour à tour mon père, ma mère, Constance… Ma famille que j'aimais tant, ma famille de vampires. Kaz avait les yeux braqués sur moi, l'air désemparé. Sa phrase mystère a fait irruption dans ma mémoire et la solution m'est apparue.

Mais oui, bien sûr, il avait raison, il y avait quelque chose que je n'avais pas terminé. Dans le placard, la veille, je l'avais presque embrassé. Presque…

J'ai pris mon élan et j'ai lancé :

– Euh, désolée, je préfère rester ici. Avec Kaz, on a plein de projets…

Constance a laissé échapper un rire léger. Mon vampire d'Asie a remué sur sa chaise, papa a marmonné « Ah, les filles… » et maman a murmuré, perplexe :

– Bon, je n'ai plus qu'à annuler ton inscription.

J'ai baissé la tête afin que personne ne voie le sourire qui barrait mon visage, puis je me suis levée pour aller chercher la mousse au chocolat.

Kaz me suivait du regard, j'en étais sûre, alors en passant devant la fenêtre du salon, du bout du doigt, j'ai tracé pour lui un cœur sur la vitre.

Un cœur de vampire.

TABLE DES MATIÈRES

☁ L'AUTEUR

Agnès Laroche est née en 1965 à Paris, elle vit aujourd'hui à Angoulême.

Son principal trait de caractère : la distraction, son mari et ses trois enfants peuvent hélas en témoigner chaque jour ! Même quand elle est là, elle est ailleurs. Un ailleurs où fourmillent les rêves et les idées grâce auxquels elle invente des histoires pour les enfants, les adolescents ou leurs parents. Elle est l'auteur de nombreuses fictions diffusées à la radio, de romans pour la jeunesse et de récits publiés en presse enfantine.

Son plus grand plaisir : faire en sorte que ses livres soient autant de petites maisons dans lesquelles les lecteurs se sentent chez eux, de la première à la dernière page.

Vous pouvez la retrouver sur son blog : agneslaroche.blogspot.com

☁ L'ILLUSTRATRICE

Peggy Caramel est venue au monde entre deux manèges, au milieu d'un parc d'attractions où ses parents étaient forains. De là est né son amour des couleurs, des lumières, des rires et de la foule… Elle a dessiné sur ses joues avec des crayons de maquillage, puis sur les murs, avant de prendre un crayon et du papier pour bâtir des mondes merveilleux très colorés.

Elle considère l'illustration comme un joli moyen d'expression qui permet aux plus timides de transmettre leurs émotions. Chaque jour influence son style. La naissance de sa fille l'inspire et lui donne encore plus envie de raconter de belles histoires.

Peggy Caramel vit dans l'Hérault.

Retrouvez la collection
Rageot Romans
sur le site www.rageot.fr

Achevé d'imprimer en France en mars 2012
sur les presses de l'imprimerie Hérissey
Dépôt légal : mars 2012
N° d'édition : 5534 - 01
N° d'impression : 118262